LE GRAND CAHIER

Dans la Grande Ville qu'occupent les Armées étrangères, la vie est devenue impossible. La disette menace. Une mère conduit donc ses enfants à la campagne, chez leur grand-mère. Terrible grand-mère : analphabète, sale, avare, méchante et même meurtrière, elle mène la vie dure aux jumeaux. Loin de se laisser abattre, ceux-ci apprennent seuls les lois de la vie, de l'écriture et de la cruauté. Abandonnés à eux-mêmes en un pays en proie à la guerre, dénués du moindre sens moral, ils s'appliquent à dresser chaque jour, dans un grand cahier, le bilan de leurs progrès et la liste de leurs forfaits…

En une suite de saynètes tranquillement horribles, *Le Grand Cahier* nous livre sans fard, sans une once de sensiblerie, une fable incisive sur les malheurs de la guerre et du totalitarisme, mais aussi un véritable roman d'apprentissage dominé par l'humour noir.

Agota Kristof, née en Hongrie, vit aujourd'hui en Suisse. Sa « trilogie des jumaux » (Le grand Cahier, La Preuve *et* Le Troisième mensonge) *a été traduite dans une vingtaine de pays.* Le Troisième mensonge *a reçu le prix du Livre Inter 1992.*

DU MÊME AUTEUR

La Preuve
roman
Seuil, 1988
et « Points », n° P 42

Le Troisième Mensonge
roman
prix du Livre Inter 1992
Seuil, 1991
et « Points », n° P 126

Le Grand Cahier, La Preuve
et Le Troisième Mensonge
en un seul volume relié
Seuil, 1991

Hier
roman
Seuil, 1995
et « Points », n° P 293

L'Heure grise
et autres pièces
théâtre
Seuil, 1998

Agota Kristof

LE GRAND CAHIER

ROMAN

Éditions du Seuil

TEXTE INTÉGRAL

ISBN 2-02-023926-4
(ISBN 2-02-009079-1, publication brochée
ISBN 2-02-009912-8, 1re publication poche)

L'arrivée chez Grand-Mère

Nous arrivons de la Grande Ville. Nous avons voyagé toute la nuit. Notre Mère a les yeux rouges. Elle porte un grand carton et nous deux chacun une petite valise avec ses vêtements, plus le grand dictionnaire de notre Père que nous nous passons quand nous avons les bras fatigués.

Nous marchons longtemps. La maison de Grand-Mère est loin de la gare, à l'autre bout de la Petite Ville. Ici, il n'y a pas de tramway, ni d'autobus, ni de voitures. Seuls circulent quelques camions militaires.

Les passants sont peu nombreux, la ville est silencieuse. On peut entendre le bruit de nos pas ; nous marchons sans parler, notre Mère au milieu, entre nous deux.

Devant la porte du jardin de Grand-Mère, notre Mère dit :

– Attendez-moi ici.

Nous attendons un peu, puis nous entrons dans le jardin, nous contournons la maison, nous nous accroupissons sous une fenêtre d'où viennent des voix. La voix de notre Mère :

– Il n'y a plus rien à manger chez nous, ni pain, ni viande, ni légumes, ni lait. Rien. Je ne peux plus les nourrir.

Une autre voix dit :

– Alors, tu t'es souvenue de moi. Pendant dix ans, tu ne t'étais pas souvenue. Tu n'es pas venue, tu n'as pas écrit.

Notre Mère dit :

– Vous savez bien pourquoi. Mon père, je l'aimais, moi.

L'autre voix dit :

– Oui, et maintenant tu te rappelles que tu as aussi une mère. Tu arrives et tu me demandes de t'aider.

Notre Mère dit :

– Je ne demande rien pour moi. J'aimerais seulement que mes enfants survivent à cette guerre. La Grande Ville est bombardée jour et nuit, et il n'y a plus de nourriture. On évacue les enfants à la campagne, chez des parents ou chez des étrangers, n'importe où.

L'autre voix dit :

– Tu n'avais qu'à les envoyer chez des étrangers, n'importe où.

Notre Mère dit :

– Ce sont vos petits-fils.

– Mes petits-fils ? Je ne les connais même pas. Ils sont combien ?

– Deux. Deux garçons. Des jumeaux.

L'autre voix demande :

– Qu'est-ce que tu as fait des autres ?

Notre Mère demande :

– Quels autres ?

– Les chiennes mettent bas quatre ou cinq petits à la fois. On en garde un ou deux, les autres, on les noie.

L'autre voix rit très fort. Notre Mère ne dit rien, et l'autre voix demande :

– Ils ont un père, au moins ? Tu n'es pas mariée, que je sache. Je n'ai pas été invitée à ton mariage.

– Je suis mariée. Leur père est au front. Je n'ai pas de nouvelles depuis six mois.

– Alors, tu peux déjà faire une croix dessus.

L'autre voix rit de nouveau, notre Mère pleure. Nous retournons devant la porte du jardin.

Notre Mère sort de la maison avec une vieille femme.

Notre Mère nous dit :

– Voici votre Grand-Mère. Vous resterez chez elle pendant un certain temps, jusqu'à la fin de la guerre.

Notre Grand-Mère dit :

– Ça peut durer longtemps. Mais je les ferai travailler, ne t'en fais pas. La nourriture n'est pas gratuite ici non plus.

Notre Mère dit :

– Je vous enverrai de l'argent. Dans les valises, il y a leurs vêtements. Et dans le carton, des draps et des couvertures. Soyez sages, mes petits. Je vous écrirai.

Elle nous embrasse et elle s'en va en pleurant.

Grand-Mère rit très fort et nous dit :

– Des draps, des couvertures ! Chemises blanches et souliers laqués ! Je vous apprendrai à vivre, moi !

Nous tirons la langue à notre Grand-Mère. Elle rit encore plus fort en se tapant sur les cuisses.

La maison de Grand-Mère

La maison de Grand-Mère est à cinq minutes de marche des dernières maisons de la Petite Ville. Après, il n'y a plus que la route poussiéreuse, bientôt coupée par une barrière. Il est interdit d'aller plus loin, un soldat y monte la garde. Il a une mitraillette, des jumelles et, quand il pleut, il s'abrite dans une guérite. Nous savons qu'au-delà de la barrière, cachée par les arbres, il y a une base militaire secrète et, derrière la base, la frontière et un autre pays.

La maison de Grand-Mère est entourée d'un jardin au fond duquel coule une rivière, puis c'est la forêt.

Le jardin est planté de toutes sortes de légumes et d'arbres fruitiers. Dans un coin, il y a un clapier, un poulailler, une porcherie et une cabane pour les chèvres. Nous avons essayé de monter sur le dos du plus gros des cochons, mais il est impossible de rester dessus.

Les légumes, les fruits, les lapins, les canards, les poulets sont vendus au marché par Grand-Mère, ainsi que les œufs des poules et des canes et les fromages de chèvre. Les cochons sont vendus au boucher qui les paie avec de l'argent, mais aussi avec des jambons et des saucissons fumés.

Il y a encore un chien pour chasser les voleurs et un

chat pour chasser les souris et les rats. Il ne faut pas lui donner à manger, de sorte qu'il ait toujours faim.

Grand-Mère possède encore une vigne de l'autre côté de la route.

On entre dans la maison par la cuisine qui est grande et chaude. Le feu brûle toute la journée dans le fourneau à bois. Près de la fenêtre, il y a une immense table et un banc d'angle. C'est sur ce banc que nous dormons.

De la cuisine une porte mène à la chambre de Grand-Mère, mais elle est toujours fermée à clé. Seule Grand-Mère y va le soir, pour dormir.

Il existe une autre chambre où l'on peut entrer sans passer par la cuisine, directement du jardin. Cette chambre est occupée par un officier étranger. La porte en est également fermée à clé.

Sous la maison, il y a une cave pleine de choses à manger et, sous le toit, un galetas où Grand-Mère ne monte plus depuis que nous avons scié l'échelle et qu'elle s'est fait mal en tombant. L'entrée du galetas est juste au-dessus de la porte de l'officier, et nous y montons à l'aide d'une corde. C'est là-haut que nous dissimulons le cahier de composition, le dictionnaire de notre Père et les autres objets que nous sommes obligés de cacher.

Bientôt nous fabriquons une clé qui ouvre toutes les portes et nous perçons des trous dans le plancher du galetas. Grâce à la clé, nous pouvons circuler librement dans la maison quand personne ne s'y trouve, et, grâce aux trous, nous pouvons observer Grand-Mère et l'officier dans leurs chambres, sans qu'ils s'en doutent.

Grand-Mère

Notre Grand-Mère est la mère de notre Mère. Avant de venir habiter chez elle, nous ne savions pas que notre Mère avait encore une mère.

Nous l'appelons Grand-Mère.

Les gens l'appellent la Sorcière.

Elle nous appelle « fils de chienne ».

Grand-Mère est petite et maigre. Elle a un fichu noir sur la tête. Ses habits sont gris foncé. Elle porte de vieux souliers militaires. Quand il fait beau, elle marche nu-pieds. Son visage est couvert de rides, de taches brunes et de verrues où poussent des poils. Elle n'a plus de dents, du moins plus de dents visibles.

Grand-Mère ne se lave jamais. Elle s'essuie la bouche avec le coin de son fichu quand elle a mangé ou quand elle a bu. Elle ne porte pas de culotte. Quand elle a besoin d'uriner, elle s'arrête où elle se trouve, écarte les jambes et pisse par terre sous ses jupes. Naturellement, elle ne le fait pas dans la maison.

Grand-Mère ne se déshabille jamais. Nous avons regardé dans sa chambre le soir. Elle enlève une jupe, il y a une autre jupe dessous. Elle enlève son corsage, il y a un autre corsage dessous. Elle se couche comme ça. Elle n'enlève pas son fichu.

Grand-Mère parle peu. Sauf le soir. Le soir, elle

prend une bouteille sur une étagère, elle boit directement au goulot. Bientôt, elle se met à parler une langue que nous ne connaissons pas. Ce n'est pas la langue que parlent les militaires étrangers, c'est une langue tout à fait différente.

Dans cette langue inconnue, Grand-Mère se pose des questions et elle y répond. Elle rit parfois, ou bien elle se fâche et elle crie. A la fin, presque toujours, elle se met à pleurer, elle va dans sa chambre en titubant, elle tombe sur son lit et nous l'entendons sangloter longuement dans la nuit.

Les travaux

Nous sommes obligés de faire certains travaux pour Grand-Mère, sans quoi elle ne nous donne rien à manger et nous laisse passer la nuit dehors.

Au début, nous refusons de lui obéir. Nous dormons dans le jardin, nous mangeons des fruits et des légumes crus.

Le matin, avant le lever du soleil, nous voyons Grand-Mère sortir de la maison. Elle ne nous parle pas. Elle va nourrir les animaux, elle trait les chèvres, puis elle les conduit au bord de la rivière où elle les attache à un arbre. Ensuite elle arrose le jardin et cueille des légumes et des fruits qu'elle charge sur sa brouette. Elle y met aussi un panier plein d'œufs, une petite cage avec un lapin et un poulet ou un canard aux pattes attachées.

Elle s'en va au marché, poussant sa brouette dont la sangle, passée sur son cou maigre, lui fait baisser la tête. Elle titube sous le poids. Les bosses du chemin et les pierres la déséquilibrent, mais elle marche, les pieds en dedans, comme les canards. Elle marche vers la ville, jusqu'au marché, sans s'arrêter, sans avoir posé sa brouette une seule fois.

En rentrant du marché, elle fait une soupe avec les légumes qu'elle n'a pas vendus et des confitures avec les fruits. Elle mange, elle va faire la sieste dans sa vigne, elle dort une heure, puis elle s'occupe de la vigne ou, s'il n'y a rien à y faire, elle revient à la maison, elle coupe du bois, elle nourrit de nouveau les animaux, elle ramène les chèvres, elle les trait, elle va dans la forêt, en rapporte des champignons et du bois sec, elle fait des fromages, elle sèche des champignons et des haricots, elle fait des bocaux d'autres légumes, arrose de nouveau le jardin, range des choses à la cave, et ainsi de suite jusqu'à la nuit tombée.

Le sixième matin, quand elle sort de la maison, nous avons déjà arrosé le jardin. Nous lui prenons des mains les seaux lourds de la nourriture des cochons, nous conduisons les chèvres au bord de la rivière, nous l'aidons à charger la brouette. Quand elle rentre du marché, nous sommes en train de scier du bois.

Au repas, Grand-Mère dit :

– Vous avez compris. Le toit et la nourriture, il faut les mériter.

Nous disons :

– Ce n'est pas cela. Le travail est pénible, mais regarder, sans rien faire, quelqu'un qui travaille, c'est encore plus pénible, surtout si c'est quelqu'un de vieux.

Grand-Mère ricane :

– Fils de chienne ! Vous voulez dire que vous avez eu pitié de moi ?

– Non, Grand-Mère. Nous avons seulement eu honte de nous-mêmes.

L'après-midi, nous allons chercher du bois dans la forêt.

Désormais nous faisons tous les travaux que nous sommes capables de faire.

La forêt et la rivière

La forêt est très grande, la rivière est toute petite. Pour aller dans la forêt, il faut traverser la rivière. Quand il y a peu d'eau, nous pouvons la traverser en sautant d'une pierre à l'autre. Mais parfois, quand il a beaucoup plu, l'eau nous arrive à la taille, et cette eau est froide et boueuse. Nous décidons de construire un pont avec les briques et les planches que nous trouvons autour des maisons détruites par les bombardements.

Notre pont est solide. Nous le montrons à Grand-Mère. Elle l'essaie, elle dit :

– Très bien. Mais n'allez pas trop loin dans la forêt. La frontière est proche, les militaires vont vous tirer dessus. Et surtout, ne vous perdez pas. Je ne viendrais pas vous chercher.

En construisant le pont, nous avons vu des poissons. Ils se cachent sous les grosses pierres ou dans l'ombre des buissons et des arbres dont les branches se rejoignent par endroits au-dessus de la rivière. Nous choisissons les poissons les plus grands, nous les attrapons et nous les mettons dans l'arrosoir rempli d'eau. Le soir, quand nous les rapportons à la maison, Grand-Mère dit :

– Fils de chienne ! Comment les avez-vous attrapés ?

– Avec les mains. C'est facile. Il faut simplement rester immobile et attendre.

– Alors, attrapez-en beaucoup. Le plus que vous pourrez.

Le lendemain, Grand-Mère charge l'arrosoir sur sa brouette et elle vend nos poissons au marché.

Nous allons souvent dans la forêt, nous ne nous perdons jamais, nous savons de quel côté se trouve la frontière. Bientôt, les sentinelles nous connaissent. Elles ne nous tirent jamais dessus. Grand-Mère nous apprend à distinguer les champignons comestibles de ceux qui sont vénéneux.

De la forêt, nous rapportons des fagots de bois sur le dos, des champignons et des marrons dans des paniers. Nous entassons le bois bien en ordre contre les murs de la maison sous l'auvent et nous grillons des marrons sur le fourneau si Grand-Mère n'est pas là.

Une fois, loin dans la forêt, au bord d'un grand trou fait par une bombe, nous trouvons un soldat mort Il est encore entier, seuls les yeux lui manquent à cause des corbeaux. Nous prenons son fusil, ses cartouches, ses grenades : le fusil caché dans un fagot, les cartouches et les grenades dans nos paniers, sous les champignons.

Arrivés chez Grand-Mère, nous emballons soigneusement ces objets dans de la paille et dans des sacs à pommes de terre, et nous les enterrons sous le banc, devant la fenêtre de l'officier.

La saleté

Chez nous, à la Grande Ville, notre Mère nous lavait souvent. Sous la douche ou dans la baignoire. Elle nous mettait des habits propres, elle nous coupait les ongles. Pour couper nos cheveux, elle nous accompagnait chez le coiffeur. Nous nous brossions les dents après chaque repas.

Chez Grand-Mère, il est impossible de se laver. Il n'y a pas de salle de bains, il n'y a même pas l'eau courante. Il faut aller pomper l'eau du puits dans la cour, et la porter dans un seau. Il n'y a pas de savon dans la maison, ni de dentifrice, ni de produit pour la lessive.

Tout est sale dans la cuisine. Le carrelage rouge, irrégulier, colle sous les pieds, la grande table colle sous les mains et sous les coudes. Le fourneau est complètement noir de graisse, les murs aussi tout autour à cause de la suie. Bien que Grand-Mère fasse la vaisselle, les assiettes, les cuillers, les couteaux ne sont jamais tout à fait propres, et les casseroles sont couvertes d'une épaisse couche de crasse. Les torchons sont grisâtres et sentent mauvais.

Au début, nous n'avons même pas envie de manger, surtout quand nous voyons comment Grand-Mère prépare les repas, sans se laver les mains et en se mouchant dans sa manche. Plus tard, nous n'y faisons plus attention.

Quand il fait chaud, nous allons nous baigner dans la rivière, nous nous lavons le visage et les dents au puits. Quand il fait froid, il est impossible de se laver complètement. Il n'existe aucun récipient assez grand dans la maison. Nos draps, nos couvertures, nos linges de bain ont disparu. Nous n'avons plus jamais revu le grand carton dans lequel notre Mère les a apportés.

Grand-Mère a tout vendu.

Nous devenons de plus en plus sales, nos habits aussi. Nous prenons des habits propres dans nos valises sous le banc, mais bientôt il n'y a plus d'habits propres. Ceux que nous portons se déchirent, nos chaussures s'usent, se trouent. Quand c'est possible, nous marchons nu-pieds et ne portons qu'un caleçon ou un pantalon. La plante de nos pieds durcit, nous ne sentons plus les épines ni les pierres. Notre peau brunit, nos jambes et nos bras sont couverts d'écorchures, de coupures, de croûtes, de piqûres d'insecte. Nos ongles, jamais coupés, se cassent, nos cheveux, presque blancs à cause du soleil, nous arrivent aux épaules.

Les toilettes sont au fond du jardin. Il n'y a jamais de papier. Nous nous torchons avec les feuilles les plus grandes de certaines plantes.

Nous avons une odeur mêlée de fumier, de poisson, d'herbe, de champignon, de fumée, de lait, de fromage, de boue, de vase, de terre, de transpiration, d'urine, de moisissure.

Nous sentons mauvais comme Grand-Mère.

Exercice d'endurcissement du corps

Grand-Mère nous frappe souvent, avec ses mains osseuses, avec un balai ou un torchon mouillé. Elle nous tire par les oreilles, elle nous empoigne par les cheveux.

D'autres gens nous donnent aussi des gifles et des coups de pied, nous ne savons même pas pourquoi.

Les coups font mal, ils nous font pleurer.

Les chutes, les écorchures, les coupures, le travail, le froid et la chaleur sont également causes de souffrances.

Nous décidons d'endurcir notre corps pour pouvoir supporter la douleur sans pleurer.

Nous commençons par nous donner l'un à l'autre des gifles, puis des coups de poing. Voyant notre visage tuméfié, Grand-Mère demande :

– Qui vous a fait ça ?

– Nous-mêmes, Grand-Mère.

– Vous vous êtes battus ? Pourquoi ?

– Pour rien, Grand-Mère. Ne vous inquiétez pas, ce n'est qu'un exercice.

– Un exercice ? Vous êtes complètement cinglés ! Enfin, si ça vous amuse...

Nous sommes nus. Nous nous frappons l'un l'autre avec une ceinture. Nous disons à chaque coup :

– Ça ne fait pas mal.

Nous frappons plus fort, de plus en plus fort.

Nous passons nos mains au-dessus d'une flamme. Nous entaillons notre cuisse, notre bras, notre poitrine avec un couteau et nous versons de l'alcool sur nos blessures. Nous disons chaque fois :

– Ça ne fait pas mal.

Au bout d'un certain temps, nous ne sentons effectivement plus rien. C'est quelqu'un d'autre qui a mal, c'est quelqu'un d'autre qui se brûle, qui se coupe, qui souffre.

Nous ne pleurons plus.

Quand Grand-Mère est fâchée et qu'elle crie, nous lui disons :

– Cessez de crier, Grand-Mère, frappez plutôt.

Quand elle nous frappe, nous lui disons :

– Encore, Grand-Mère ! Regardez, nous tendons l'autre joue, comme c'est écrit dans la Bible. Frappez aussi l'autre joue, Grand-Mère.

Elle répond :

– Que le diable vous emporte avec votre Bible et avec vos joues !

L'ordonnance

Nous sommes couchés sur le banc d'angle de la cuisine. Nos têtes se touchent. Nous ne dormons pas encore, mais nos yeux sont fermés. Quelqu'un pousse la porte. Nous ouvrons les yeux. La lumière d'une lampe de poche nous aveugle. Nous demandons :

– Qui est là ?

Une voix d'homme répond :

– Pas peur. Vous pas peur. Deux vous êtes ou moi trop boire ?

Il rit, il allume la lampe à pétrole sur la table et éteint sa lampe de poche. Nous le voyons bien maintenant. C'est un militaire étranger, sans grade. Il dit :

– Moi être ordonnance du capitaine. Vous faire quoi, là ?

Nous disons :

– Nous habitons ici. Chez notre Grand-Mère.

– Vous petits-fils de Sorcière ? Moi jamais vu encore vous. Vous être ici depuis quand ?

– Depuis deux semaines.

– Ah ! Moi être parti permission chez moi, dans mon village. Bien rigolé.

Nous demandons :

– Comment se fait-il que vous parliez notre langue ?

Il dit :

– Ma mère naître ici, dans votre pays. Venir travailler chez nous, serveuse dans bistrot. Connaître mon père, se marier avec. Quand moi être petit, ma mère me parler votre langue. Votre pays et mon pays, être pays amis. Combattre l'ennemi ensemble. Vous deux venir de où ?

– De la Grande Ville.

– Grande Ville, beaucoup danger. Boum ! Boum !

– Oui, et plus rien à manger.

– Ici, bien pour manger. Pommes, cochons, poulets, tout. Vous restez longtemps ? Ou seulement vacances ?

– Nous resterons jusqu'à la fin de la guerre.

– Guerre bientôt finie. Vous dormir là ? Banc nu, dur, froid. Sorcière pas vouloir prendre vous dans chambre ?

– Nous ne voulons pas dormir dans la chambre de Grand-Mère. Elle ronfle et elle sent mauvais. Nous avions des couvertures et des draps, mais elle les a vendus.

L'ordonnance prend de l'eau chaude dans le chaudron sur le fourneau et dit :

– Moi devoir nettoyer chambre. Capitaine aussi revenir permission ce soir ou demain matin.

Il sort. Quelques minutes plus tard, il revient. Il nous apporte deux couvertures militaires grises.

– Pas vendre ça, vieille Sorcière. Si elle être trop méchante, vous me dire. Moi, poum, poum, je tue.

Il rit encore. Il nous couvre, éteint la lampe et s'en va.

Pendant la journée nous cachons les couvertures dans le galetas.

Exercice d'endurcissement de l'esprit

Grand-Mère nous dit :

– Fils de chienne !

Les gens nous disent :

– Fils de Sorcière ! Fils de pute !

D'autres disent :

– Imbéciles ! Voyous ! Morveux ! Anes ! Gorets ! Pourceaux ! Canailles ! Charognes ! Petits merdeux ! Gibier de potence ! Graines d'assassin !

Quand nous entendons ces mots, notre visage devient rouge, nos oreilles bourdonnent, nos yeux piquent, nos genoux tremblent.

Nous ne voulons plus rougir ni trembler, nous voulons nous habituer aux injures, aux mots qui blessent.

Nous nous installons à la table de la cuisine l'un en face de l'autre et, en nous regardant dans les yeux, nous disons des mots de plus en plus atroces.

L'un :

– Fumier ! Trou du cul !

L'autre :

– Enculé ! Salopard !

Nous continuons ainsi jusqu'à ce que les mots n'entrent plus dans notre cerveau, n'entrent même plus dans nos oreilles.

Nous nous exerçons de cette façon une demi-heure

environ par jour, puis nous allons nous promener dans les rues.

Nous nous arrangeons pour que les gens nous insultent, et nous constatons qu'enfin nous réussissons à rester indifférents.

Mais il y a aussi les mots anciens.

Notre Mère nous disait :

– Mes chéris ! Mes amours ! Mon bonheur ! Mes petits bébés adorés !

Quand nous nous rappelons ces mots, nos yeux se remplissent de larmes.

Ces mots, nous devons les oublier, parce que, à présent, personne ne nous dit des mots semblables et parce que le souvenir que nous en avons est une charge trop lourde à porter.

Alors, nous recommençons notre exercice d'une autre façon.

Nous disons :

– Mes chéris ! Mes amours ! Je vous aime... Je ne vous quitterai jamais... Je n'aimerai que vous... Toujours... Vous êtes toute ma vie...

A force d'être répétés, les mots perdent peu à peu leur signification et la douleur qu'ils portent en eux s'atténue.

L'école

Ceci s'est passé il y a trois ans.

C'est le soir. Nos parents croient que nous dormons. Dans l'autre chambre, ils parlent de nous.

Notre Mère dit :

– Ils ne supporteront pas d'être séparés.

Notre Père dit :

– Ils ne seront séparés que pendant les heures d'école.

Notre Mère dit :

– Ils ne le supporteront pas.

– Il le faudra bien. C'est nécessaire pour eux. Tout le monde le dit. Les instituteurs, les psychologues. Au début, ce sera difficile, mais ils s'y habitueront.

Notre Mère dit :

– Non, jamais. Je le sais. Je les connais. Ils ne font qu'une seule et même personne.

Notre Père élève la voix :

– Justement, ce n'est pas normal. Ils pensent ensemble, ils agissent ensemble. Ils vivent dans un monde à part. Dans un monde à eux. Tout cela n'est pas très sain. C'est même inquiétant. Oui, ils m'inquiètent. Ils sont bizarres. On ne sait jamais ce qu'ils peuvent penser. Ils sont trop avancés pour leur âge. Ils savent trop de choses.

Notre Mère rit :

– Tu ne vas tout de même pas leur reprocher leur intelligence ?

– Ce n'est pas drôle. Pourquoi ris-tu ?

Notre Mère répond :

– Les jumeaux posent toujours des problèmes. Ce n'est pas un drame. Tout s'arrangera.

Notre Père dit :

– Oui, tout peut s'arranger si on les sépare. Chaque individu doit avoir sa propre vie.

Quelques jours plus tard, nous commençons l'école. Chacun dans une classe différente. Nous nous asseyons au premier rang.

Nous sommes séparés l'un de l'autre par toute la longueur du bâtiment. Cette distance entre nous nous semble monstrueuse, la douleur que nous en éprouvons est insupportable. C'est comme si on nous avait enlevé la moitié de notre corps. Nous n'avons plus d'équilibre, nous sommes pris de vertige, nous tombons, nous perdons connaissance.

Nous nous réveillons dans l'ambulance qui nous conduit à l'hôpital.

Notre Mère vient nous chercher. Elle sourit, elle dit :

– Vous serez dans la même classe dès demain.

A la maison, notre Père nous dit seulement :

– Simulateurs !

Bientôt, il part au front. Il est journaliste, correspondant de guerre.

Nous allons à l'école pendant deux ans et demi. Les instituteurs partent aussi au front ; ils sont remplacés par des institutrices. Plus tard, l'école ferme car il y a trop d'alertes et de bombardements.

Nous savons lire, écrire, calculer.

Chez Grand-Mère, nous décidons de poursuivre nos études sans instituteurs, seuls.

L'achat du papier, du cahier et des crayons

Chez Grand-Mère, il n'y a pas de papier, ni de crayon. Nous allons en chercher dans le magasin qui s'appelle : « Librairie-Papeterie ». Nous choisissons un paquet de papier quadrillé, deux crayons et un grand cahier épais. Nous posons tout cela sur le comptoir face au gros monsieur qui se tient derrière. Nous lui disons :

– Nous avons besoin de ces objets, mais nous n'avons pas d'argent.

Le libraire dit :

– Comment ? Mais... il faut payer.

Nous répétons :

– Nous n'avons pas d'argent, mais nous avons absolument besoin de ces objets.

Le libraire dit :

– L'école est fermée. Personne n'a besoin de cahiers ni de crayons.

Nous disons :

– Nous faisons l'école chez nous. Tout seuls, nous-mêmes.

– Demandez l'argent à vos parents.

– Notre Père est au front et notre Mère est restée à la Grande Ville. Nous habitons chez notre Grand-Mère, elle n'a pas d'argent non plus.

Le libraire dit :

– Sans argent vous ne pouvez rien acheter.

Nous ne disons plus rien, nous le regardons. Il nous regarde aussi. Son front est mouillé de transpiration. Au bout d'un certain temps, il crie :

– Ne me regardez pas comme ça ! Sortez d'ici !

Nous disons :

– Nous sommes disposés à effectuer quelques travaux pour vous en échange de ces objets. Arroser votre jardin, par exemple, arracher les mauvaises herbes, porter des colis...

Il crie encore :

– Je n'ai pas de jardin ! Je n'ai pas besoin de vous ! Et d'abord, vous ne pouvez pas parler normalement ?

– Nous parlons normalement.

– Dire à votre âge : « disposés à effectuer », c'est normal, ça ?

– Nous parlons correctement.

– Trop correctement, oui. Je n'aime pas du tout votre façon de parler ! Votre façon de me regarder non plus ! Sortez d'ici !

Nous demandons :

– Possédez-vous des poules, monsieur ?

Il tapote son visage blanc avec un mouchoir blanc. Il demande sans crier :

– Des poules ? Pourquoi des poules ?

– Parce que si vous n'en possédez pas, nous pouvons disposer d'une certaine quantité d'œufs et vous les apporter en échange de ces objets qui nous sont indispensables.

Le libraire nous regarde, il ne dit rien.

Nous disons :

– Le prix des œufs augmente de jour en jour. En revanche, le prix du papier et des crayons...

Il jette notre papier, nos crayons, notre cahier vers la porte et hurle :

– Dehors ! Je n'ai pas besoin de vos œufs ! Prenez tout ça, et ne revenez plus !

Nous ramassons les objets soigneusement et nous disons :

– Nous serons pourtant obligés de revenir quand nous n'aurons plus de papier ou que nos crayons seront usés.

Nos études

Pour nos études, nous avons le dictionnaire de notre Père et la Bible que nous avons trouvée ici, chez Grand-Mère, dans le galetas.

Nous avons des leçons d'orthographe, de composition, de lecture, de calcul mental, de mathématiques et des exercices de mémoire.

Nous employons le dictionnaire pour l'orthographe, pour obtenir des explications, mais aussi pour apprendre des mots nouveaux, des synonymes, des antonymes.

La Bible sert à la lecture à haute voix, aux dictées et aux exercices de mémoire. Nous apprenons donc par cœur des pages entières de la Bible.

Voici comment se passe une leçon de composition :

Nous sommes assis à la table de la cuisine avec nos feuilles quadrillées, nos crayons, et le Grand Cahier. Nous sommes seuls.

L'un de nous dit :

– Le titre de ta composition est : « L'arrivée chez Grand-Mère ».

L'autre dit :

– Le titre de ta composition est : « Nos travaux ».

Nous nous mettons à écrire. Nous avons deux heures

pour traiter le sujet et deux feuilles de papier à notre disposition.

Au bout de deux heures nous échangeons nos feuilles, chacun de nous corrige les fautes d'orthographe de l'autre à l'aide du dictionnaire et, en bas de la page, écrit : « Bien », ou « Pas bien ». Si c'est « Pas bien », nous jetons la composition dans le feu et nous essayons de traiter le même sujet à la leçon suivante. Si c'est « Bien », nous pouvons recopier la composition dans le Grand Cahier.

Pour décider si c'est « Bien » ou « Pas bien », nous avons une règle très simple : la composition doit être vraie. Nous devons décrire ce qui est, ce que nous voyons, ce que nous entendons, ce que nous faisons.

Par exemple, il est interdit d'écrire : « Grand-Mère ressemble à une sorcière » ; mais il est permis d'écrire : « Les gens appellent Grand-Mère la Sorcière. »

Il est interdit d'écrire : « La Petite Ville est belle », car la Petite Ville peut être belle pour nous et laide pour quelqu'un d'autre.

De même, si nous écrivons : « L'ordonnance est gentil », cela n'est pas une vérité, parce que l'ordonnance est peut-être capable de méchancetés que nous ignorons. Nous écrirons donc simplement : « L'ordonnance nous donne des couvertures. »

Nous écrirons : « Nous mangeons beaucoup de noix », et non pas : « Nous aimons les noix », car le mot « aimer » n'est pas un mot sûr, il manque de précision et d'objectivité. « Aimer les noix » et « aimer notre Mère », cela ne peut pas vouloir dire la même chose. La première formule désigne un goût agréable dans la bouche, et la deuxième un sentiment.

Les mots qui définissent les sentiments sont très vagues ; il vaut mieux éviter leur emploi et s'en tenir à la description des objets, des êtres humains et de soi-même, c'est-à-dire à la description fidèle des faits.

Notre voisine et sa fille

Notre voisine est une femme moins vieille que Grand-Mère. Elle habite avec sa fille la dernière maison de la Petite Ville. C'est une masure complètement délabrée, son toit est troué à plusieurs endroits. Autour, il y a un jardin, mais il n'est pas cultivé comme le jardin de Grand-Mère. Il n'y pousse que de mauvaises herbes.

La voisine est assise toute la journée sur un tabouret dans son jardin et regarde devant elle, on ne sait quoi. Le soir, ou quand il pleut, sa fille la prend par le bras et la fait rentrer dans la maison. Parfois, sa fille l'oublie ou elle n'est pas là, alors la mère reste dehors toute la nuit, par n'importe quel temps.

Les gens disent que notre voisine est folle, qu'elle a perdu l'esprit quand l'homme qui lui a fait l'enfant l'a abandonnée.

Grand-Mère dit que la voisine est simplement paresseuse et qu'elle préfère vivre pauvrement plutôt que de se mettre au travail.

La fille de la voisine n'est pas plus grande que nous mais elle est un peu plus âgée. Pendant la journée, elle mendie en ville, devant les bistrots, au coin des rues. Au marché, elle ramasse les légumes et les fruits pourris que les gens jettent et elle les apporte à la maison. Elle vole aussi tout ce qu'elle peut voler. Nous avons dû la chasser plusieurs fois de notre jardin où elle essayait de prendre des fruits et des œufs.

Une fois, nous la surprenons buvant du lait en suçant le pis de l'une de nos chèvres.

Quand elle nous voit, elle se lève, s'essuie la bouche du dos de la main, elle recule, elle dit :

– Ne me faites pas de mal !

Elle ajoute :

– Je cours très vite. Vous ne me rattraperez pas.

Nous la regardons. C'est la première fois que nous la voyons de près. Elle a un bec-de-lièvre, elle louche, elle a de la morve au nez et, dans les coins de ses yeux rouges, des saletés jaunes. Ses jambes et ses bras sont couverts de pustules.

Elle dit :

– On m'appelle Bec-de-Lièvre. J'aime le lait.

Elle sourit. Elle a des dents noires.

– J'aime le lait, mais ce que j'aime surtout, c'est sucer le pis. C'est bon. C'est dur et tendre à la fois.

Nous ne répondons pas. Elle s'approche.

– J'aime aussi sucer autre chose.

Elle avance la main, nous reculons. Elle dit :

– Vous ne voulez pas ? Vous ne voulez pas jouer avec moi ? J'aimerais tellement. Vous êtes si beaux.

Elle baisse la tête, elle dit :

– Je vous dégoûte.

Nous disons :

– Non, tu ne nous dégoûtes pas.

– Je vois. Vous êtes trop jeunes, trop timides. Mais, avec moi, il ne faut pas vous gêner. Je vous apprendrai des jeux très amusants.

Nous lui disons :

– Nous ne jouons jamais.

– Qu'est-ce que vous faites alors, toute la journée ?

– Nous travaillons, nous étudions.

– Moi, je mendie, je vole et je joue.

– Tu t'occupes aussi de ta mère. Tu es une fille bien.

Elle dit en s'approchant :

– Vous me trouvez bien ? Vraiment ?

– Oui. Et s'il te faut quelque chose pour ta mère ou pour toi, tu n'as qu'à nous le demander. Nous te donnerons des fruits, des légumes, des poissons, du lait.

Elle se met à crier :

– Je ne veux pas de vos fruits, de vos poissons, de votre lait ! Tout ça, je peux le voler. Ce que je veux, c'est que vous m'aimiez. Personne ne m'aime. Même pas ma mère. Mais moi non plus, je n'aime personne. Ni ma mère ni vous ! Je vous hais !

Exercice de mendicité

Nous revêtons des habits sales et déchirés, nous enlevons nos chaussures, nous nous salissons le visage et les mains. Nous allons dans la rue. Nous nous arrêtons, nous attendons.

Quand un officier étranger passe devant nous, nous levons le bras droit pour saluer et nous tendons la main gauche. Le plus souvent, l'officier passe sans s'arrêter, sans nous voir, sans nous regarder.

Enfin, un officier s'arrête. Il dit quelque chose dans une langue que nous ne comprenons pas. Il nous pose des questions. Nous ne répondons pas, nous restons immobiles, un bras levé, l'autre tendu en avant. Alors il fouille dans ses poches, il pose une pièce de monnaie et un bout de chocolat sur notre paume sale et il s'en va en secouant la tête.

Nous continuons d'attendre.

Une femme passe. Nous tendons la main. Elle dit :

– Pauvres petits. Je n'ai rien à vous donner.

Elle nous caresse les cheveux.

Nous disons :

– Merci.

Une autre femme nous donne deux pommes, une autre des biscuits.

EXERCICE DE MENDICITÉ

Une femme passe. Nous tendons la main, elle s'arrête, elle dit :

– N'avez-vous pas honte de mendier ? Venez chez moi, il y a de petits travaux faciles pour vous. Couper du bois, par exemple, ou récurer la terrasse. Vous êtes assez grands et forts pour cela. Après, si vous travaillez bien, je vous donnerai de la soupe et du pain.

Nous répondons :

– Nous n'avons pas envie de travailler pour vous, madame. Nous n'avons pas envie de manger votre soupe, ni votre pain. Nous n'avons pas faim.

Elle demande :

– Pourquoi mendiez-vous alors ?

– Pour savoir quel effet ça fait et pour observer la réaction des gens.

Elle crie en s'en allant :

– Sales petits voyous ! Impertinents avec ça !

En rentrant, nous jetons dans l'herbe haute qui borde la route les pommes, les biscuits, le chocolat et les pièces de monnaie.

La caresse sur nos cheveux est impossible à jeter.

Bec-de-Lièvre

contre ses fesses. Il bouge très vite d'avant en arrière. Bec-de-Lièvre crie et, au bout d'un moment, elle tombe sur le ventre.

Le chien s'éloigne lentement.

Bec-de-Lièvre reste couchée pendant un certain temps, puis elle se lève, nous voit, elle rougit. Elle crie :

– Sales petits espions ! Qu'est-ce que vous avez vu ?

Nous répondons :

– Nous t'avons vue jouer avec notre chien.

Elle demande :

– Je suis toujours votre copine ?

– Oui. Et nous te permettons de jouer avec notre chien tant que tu veux.

– Et vous ne direz à personne ce que vous avez vu ?

– Nous ne disons jamais rien à personne. Tu peux compter sur nous.

Elle s'assied dans l'herbe, elle pleure :

– Il n'y a que les bêtes qui m'aiment.

Nous demandons :

– Est-ce vrai que ta mère est folle ?

– Non. Elle est seulement sourde et aveugle.

– Que lui est-il arrivé ?

– Rien. Rien de spécial. Un jour, elle est devenue aveugle et, plus tard, elle est devenue sourde. Elle dit que pour moi ce sera pareil. Vous avez vu mes yeux ? Le matin, quand je me réveille, mes cils sont collés, mes yeux sont pleins de pus.

Nous disons :

– C'est certainement une maladie qui peut être guérie par la médecine.

Elle dit :

– Peut-être. Mais comment aller chez un médecin sans argent ? De toute façon, il n'y a pas de médecin. Ils sont tous au front.

Nous demandons :

– Et tes oreilles ? Tu as mal aux oreilles ?

– Non, avec mes oreilles, je n'ai aucun problème. Et je crois que ma mère non plus. Elle fait semblant de ne rien entendre, ça l'arrange quand je lui pose des questions.

Exercice de cécité et de surdité

L'un de nous fait l'aveugle, l'autre fait le sourd. Pour s'entraîner, au début, l'aveugle attache un fichu noir de Grand-Mère devant ses yeux, le sourd se bouche les oreilles avec de l'herbe. Le fichu sent mauvais comme Grand-Mère.

Nous nous donnons la main, nous allons nous promener pendant les alertes, quand les gens se cachent dans les caves et que les rues sont désertes.

Le sourd décrit ce qu'il voit :

– La rue est droite et longue. Elle est bordée de maisons basses, sans étage. Elles sont de couleurs blanche, grise, rose, jaune et bleue. Au bout de la rue, on voit un parc avec des arbres et une fontaine. Le ciel est bleu, avec quelques nuages blancs. On voit des avions. Cinq bombardiers. Ils volent bas.

L'aveugle parle lentement pour que le sourd puisse lire sur ses lèvres :

– J'entends les avions. Ils produisent un bruit saccadé et profond. Leur moteur peine. Ils sont chargés de bombes. Maintenant, ils sont passés. J'entends de nouveau les oiseaux. Sinon, tout est silencieux.

Le sourd lit sur les lèvres de l'aveugle et répond :

– Oui, la rue est vide.

L'aveugle dit :

– Pas pour longtemps. J'entends des pas approcher dans la rue latérale, à gauche.

Le sourd dit :

– Tu as raison. Le voilà, c'est un homme.

L'aveugle demande :

– Comment est-il ?

Le sourd répond :

– Comme ils sont tous. Pauvre, vieux.

L'aveugle dit :

– Je le sais. Je reconnais le pas des vieux. J'entends aussi qu'il est pieds nus, donc il est pauvre.

Le sourd dit :

– Il est chauve. Il a une vieille veste de l'armée. Il a des pantalons trop courts. Ses pieds sont sales.

– Ses yeux ?

– Je ne les vois pas. Il regarde par terre.

– Sa bouche ?

– Lèvres trop rentrées. Il ne doit plus avoir de dents.

– Ses mains ?

– Dans les poches. Les poches sont énormes et remplies de quelque chose. De pommes de terre, ou de noix, ça fait de petites bosses. Il lève la tête, il nous regarde. Mais je ne peux pas distinguer la couleur de ses yeux.

– Tu ne vois rien d'autre ?

– Des rides, profondes comme des cicatrices, sur son visage.

L'aveugle dit :

– J'entends les sirènes. C'est la fin de l'alerte. Rentrons.

Plus tard, avec le temps, nous n'avons plus besoin

de fichu pour les yeux ni d'herbe pour les oreilles. Celui qui a fait l'aveugle tourne simplement son regard vers l'intérieur, le sourd ferme ses oreilles à tous les bruits.

Le déserteur

Nous trouvons un homme dans la forêt. Un homme vivant, un homme jeune, sans uniforme. Il est couché derrière un buisson. Il nous regarde sans bouger.

Nous lui demandons :

– Pourquoi restez-vous là, couché ?

Il répond :

– Je ne peux plus marcher. Je viens de l'autre côté de la frontière. Je marche depuis deux semaines. Jour et nuit. Surtout la nuit. Je suis trop faible maintenant. J'ai faim. Je n'ai rien mangé depuis trois jours.

Nous demandons :

– Pourquoi n'avez-vous pas d'uniforme ? Tous les hommes jeunes ont un uniforme. Ils sont tous soldats.

Il dit :

– Je ne veux plus être soldat.

– Vous ne voulez plus combattre l'ennemi ?

– Je ne veux combattre personne. Je n'ai pas d'ennemis. Je veux rentrer chez moi.

– Où est-ce, chez vous ?

– C'est encore loin. Je n'y arriverai pas si je ne trouve rien à manger.

Nous demandons :

– Pourquoi n'allez-vous pas acheter quelque chose à manger ? Vous n'avez pas d'argent ?

– Non, je n'ai pas d'argent et je ne peux pas me montrer. Je dois me cacher. Il ne faut pas qu'on me voie.

– Pourquoi ?

– J'ai quitté mon régiment sans permission. J'ai fui. Je suis un déserteur. Si on me retrouvait, je serais fusillé ou pendu.

Nous demandons :

– Comme un assassin ?

– Oui, exactement comme un assassin.

– Et pourtant, vous ne voulez tuer personne. Vous voulez seulement rentrer chez vous.

– Oui, seulement rentrer chez moi.

Nous demandons :

– Que voulez-vous que nous vous apportions à manger ?

– N'importe quoi.

– Du lait de chèvre, des œufs durs, du pain, des fruits ?

– Oui, oui, n'importe quoi.

Nous demandons :

– Et une couverture ? Les nuits sont froides et il pleut souvent.

Il dit :

– Oui, mais il ne faut pas qu'on vous voie. Et vous ne direz rien à personne, n'est-ce pas ? Pas même à votre mère.

Nous répondons :

– On ne nous verra pas, nous ne disons jamais rien à personne et nous n'avons pas de mère.

Quand nous revenons avec la nourriture et la couverture, il dit :

– Vous êtes gentils.

Nous disons :

– Nous ne voulions pas être gentils. Nous vous avons apporté ces objets car vous en aviez absolument besoin. C'est tout.

Il dit encore :

– Je ne sais comment vous remercier. Je ne vous oublierai jamais.

Ses yeux se mouillent de larmes.

Nous disons :

– Vous savez, pleurer ne sert à rien. Nous ne pleurons jamais. Pourtant nous ne sommes pas encore des hommes comme vous.

Il sourit et dit :

– Vous avez raison. Excusez-moi, je ne le ferai plus. C'était seulement à cause de l'épuisement.

Exercice de jeûne

Nous annonçons à Grand-Mère :

– Aujourd'hui et demain, nous ne mangerons pas. Nous boirons seulement de l'eau.

Elle hausse les épaules :

– Je m'en fous. Mais vous travaillerez comme d'habitude.

– Naturellement, Grand-Mère.

Le premier jour, elle tue un poulet et le rôtit au four. A midi, elle nous appelle :

– Venez manger !

Nous allons à la cuisine, ça sent très bon. Nous avons un peu faim, mais pas trop. Nous regardons Grand-Mère découper le poulet.

Elle dit :

– Comme ça sent bon. Vous sentez comme ça sent bon ? Vous voulez une cuisse chacun ?

– Nous ne voulons rien, Grand-Mère.

– C'est dommage parce que c'est vraiment très bon.

Elle mange avec les mains, se léchant les doigts, les essuyant dans son tablier. Elle ronge et suce les os.

Elle dit :

– Très tendre, ce jeune poulet. Je ne peux rien imaginer de meilleur.

Nous disons :

– Grand-Mère, depuis que nous sommes chez vous, vous n'avez encore jamais cuit de poulet pour nous.

Elle dit :

– J'en ai cuit un aujourd'hui. Vous n'avez qu'à manger.

– Vous saviez que nous ne voulions rien manger aujourd'hui, ni demain.

– Ce n'est pas ma faute. C'est de nouveau une de vos conneries.

– C'est un de nos exercices. Pour nous habituer à supporter la faim.

– Alors, habituez-vous. Personne ne vous en empêche.

Nous sortons de la cuisine, nous allons faire des travaux dans le jardin. Vers la fin de la journée, nous avons vraiment très faim. Nous buvons beaucoup d'eau. Le soir, nous avons du mal à nous endormir. Nous rêvons de nourriture.

Le lendemain à midi, Grand-Mère finit le poulet. Nous la regardons manger dans une espèce de brouillard. Nous n'avons plus faim. Nous avons le vertige.

Le soir, Grand-Mère fait des crêpes à la confiture et au fromage blanc. Nous avons la nausée et des crampes d'estomac mais, une fois couchés, nous tombons dans un sommeil profond. Quand nous nous levons, Grand-Mère est déjà partie au marché. Nous voulons prendre notre petit déjeuner mais il n'y a rien à manger à la cuisine. Ni pain, ni lait, ni fromage. Grand-Mère a tout enfermé à la cave. Nous pourrions l'ouvrir, mais nous décidons de ne toucher à rien. Nous mangeons des tomates et des concombres crus avec du sel.

Grand-Mère revient du marché, elle dit :

– Vous n'avez pas fait votre travail ce matin.

– Vous auriez dû nous réveiller, Grand-Mère.

– Vous n'aviez qu'à vous réveiller tout seuls. Mais, exceptionnellement, je vous donne quand même à manger.

Elle nous fait une soupe aux légumes avec les restes du marché, comme d'habitude. Nous mangeons peu. Après le repas, Grand-Mère dit :

– C'est un exercice stupide. Et mauvais pour la santé.

La tombe de Grand-Père

Un jour, nous voyons Grand-Mère sortir de la maison avec son arrosoir et ses outils de jardin. Mais au lieu d'aller dans sa vigne, elle prend une autre direction. Nous la suivons de loin pour savoir où elle va.

Elle entre dans le cimetière. Elle s'arrête devant une tombe, elle pose ses outils. Le cimetière est désert, il n'y a que Grand-Mère et nous.

En nous cachant derrière les buissons et les monuments funéraires, nous nous approchons de plus en plus. Grand-Mère a la vue basse et l'ouïe faible. Nous pouvons l'observer sans qu'elle s'en doute.

Elle arrache les mauvaises herbes de la tombe, creuse avec une pelle, ratisse la terre, plante des fleurs, va chercher de l'eau dans le puits, revient arroser la tombe.

Quand elle a fini son travail, elle range ses outils, puis s'agenouille devant la croix de bois, mais en s'asseyant sur ses talons. Elle joint ses mains sur son ventre comme pour dire une prière, mais nous entendons surtout des injures :

– Fumier... salopard... cochon... pourri... maudit...

Quand Grand-Mère s'en va, nous allons voir la tombe : elle est très bien entretenue. Nous regardons la croix : le nom qui est écrit dessus est celui de notre Grand-Mère, c'est aussi le nom de jeune fille de notre

Mère. Le prénom est double avec un trait d'union et ces deux prénoms sont nos propres prénoms.

Sur la croix, il y a aussi des dates de naissance et de décès. Nous calculons que notre Grand-Père est mort à l'âge de quarante-quatre ans, il y a de cela vingt-trois ans.

Le soir, nous demandons à Grand-Mère :

– Il était comment, notre Grand-Père ?

Elle dit :

– Comment ? Quoi ? Vous n'avez pas de Grand-Père.

– Mais nous en avions un autrefois.

– Non, jamais. Quand vous êtes nés, il était déjà mort. Alors vous n'avez jamais eu de Grand-Père.

Nous demandons :

– Pourquoi l'avez-vous empoisonné ?

Elle demande :

– Qu'est-ce que c'est que ces histoires ?

– Les gens racontent que vous avez empoisonné Grand-Père.

– Les gens racontent... les gens racontent... Laissez-les raconter.

– Vous ne l'avez pas empoisonné ?

– Foutez-moi la paix, fils de chienne ! Rien n'a été prouvé ! Les gens racontent n'importe quoi.

Nous disons encore :

– Nous savons que vous n'aimiez pas Grand-Père. Alors pourquoi soignez-vous sa tombe ?

– Justement pour ça ! A cause de ce que les gens racontent. Pour qu'ils arrêtent de raconter et de raconter ! Et comment savez-vous que je soigne sa tombe, hein ? Vous m'avez espionnée, fils de chienne, vous m'avez encore espionnée ! Que le diable vous emporte !

Exercice de cruauté

C'est dimanche. Nous attrapons un poulet et nous lui coupons la gorge comme nous avons vu Grand-Mère le faire. Nous apportons le poulet à la cuisine et nous disons :

– Il faut le cuire, Grand-Mère.

Elle se met à crier :

– Qui vous a permis ? Vous n'en avez pas le droit ! C'est moi qui commande ici, espèce de petits merdeux ! Je ne le cuirai pas ! Je préfère crever !

Nous disons :

– C'est égal. Nous le cuirons nous-mêmes.

Nous commençons à plumer le poulet, mais Grand-Mère nous l'arrache des mains :

– Vous ne savez pas vous y prendre ! Petits saligauds, misère de ma vie, la punition du bon Dieu, voilà ce que vous êtes !

Pendant que le poulet cuit, Grand-Mère pleure :

– C'était le plus beau. Ils ont pris exprès le plus beau. Il était juste prêt pour le marché de mardi.

En mangeant le poulet, nous disons :

– Il est très bon, ce poulet. Nous en mangerons tous les dimanches.

– Tous les dimanches ? Vous êtes fous ? Vous voulez ma ruine ?

– Nous mangerons un poulet tous les dimanches, que vous le vouliez ou non.

Grand-Mère se remet à pleurer :

– Mais qu'est-ce que je leur ai fait ? Misère de misère ! Ils veulent ma mort. Une pauvre vieille femme sans défense. Je n'ai pas mérité ça. Moi qui suis si bonne pour eux !

– Oui, Grand-Mère, vous êtes bonne, très bonne. Aussi, c'est par bonté que vous nous cuirez un poulet tous les dimanches.

Quand elle s'est un peu calmée, nous lui disons encore :

– Quand il y aura quelque chose à tuer, il faudra nous appeler. C'est nous qui le ferons.

Elle dit :

– Vous aimez bien ça, hein ?

– Non, Grand-Mère, justement, nous n'aimons pas ça. C'est pour cette raison que nous devons nous y habituer.

Elle dit :

– Je vois. C'est un nouvel exercice. Vous avez raison. Il faut savoir tuer quand c'est nécessaire.

Nous commençons par les poissons. Nous les prenons par la queue et nous frappons leur tête contre une pierre. Nous nous habituons vite à tuer les animaux destinés à être mangés : poules, lapins, canards. Plus tard, nous tuons des animaux qu'il ne serait pas nécessaire de tuer. Nous attrapons des grenouilles, nous les clouons sur une planche et nous leur ouvrons le ventre. Nous attrapons aussi des papillons, nous les épinglons sur un carton. Bientôt, nous avons une belle collection.

Un jour, nous pendons à la branche d'un arbre notre chat, un mâle roux. Pendu, le chat s'allonge, devient énorme. Il a des soubresauts, des convulsions. Quand il ne bouge plus, nous le dépendons. Il reste étalé sur l'herbe, immobile, puis, brusquement, se relève et s'enfuit.

Depuis, nous l'apercevons parfois de loin, mais il ne s'approche plus de la maison. Il ne vient même pas boire le lait que nous mettons devant la porte dans une petite assiette.

Grand-Mère nous dit :

– Ce chat devient de plus en plus sauvage.

Nous disons :

– Ne vous en faites pas, Grand-Mère, nous nous occupons des souris.

Nous fabriquons des trappes, et les souris qui s'y laissent prendre nous les noyons dans de l'eau bouillante.

Les autres enfants

Nous rencontrons d'autres enfants dans la Petite Ville. Comme l'école est fermée, ils sont toute la journée dehors. Il y en a des grands et des petits. Certains ont leur maison et leur mère ici, d'autres viennent d'ailleurs, comme nous. Surtout de la Grande Ville.

Beaucoup de ces enfants sont placés chez des gens qu'ils ne connaissaient pas auparavant. Ils doivent travailler dans les champs et dans les vignes ; les gens qui les gardent ne sont pas toujours gentils avec eux.

Les grands enfants attaquent souvent les plus petits. Ils leur prennent tout ce qu'ils ont dans les poches et parfois même leurs vêtements. Ils les battent aussi, surtout ceux qui viennent d'ailleurs. Les petits d'ici sont protégés par leur mère et ne sortent jamais seuls.

Nous ne sommes protégés par personne. Aussi nous apprenons à nous défendre contre les grands.

Nous fabriquons des armes : nous aiguisons des pierres, nous remplissons des chaussettes de sable et de gravier. Nous avons aussi un rasoir, trouvé dans le coffre du galetas, à côté de la Bible. Il nous suffit de sortir notre rasoir pour que les grands s'enfuient.

Un jour de chaleur, nous sommes assis à côté de la fontaine où les gens qui n'ont pas de puits viennent chercher de l'eau. Tout près, des garçons plus grands que nous sont couchés dans l'herbe. Il fait frais ici, sous les arbres, près de l'eau qui coule sans arrêt.

Bec-de-Lièvre arrive avec un seau qu'elle pose sous le goulot qui débite un mince filet d'eau. Elle attend que son seau soit rempli.

Quand le seau est plein, un des garçons se lève et va cracher dedans. Bec-de-Lièvre vide le seau, le rince et le remet sous le goulot.

Le seau est de nouveau plein, un autre garçon se lève et crache dedans. Bec-de-Lièvre remet le seau rincé sous le goulot. Elle n'attend plus que le seau soit plein, elle ne le remplit qu'à moitié et, vite, elle essaie de s'enfuir.

Un des garçons lui court après, l'attrape par le bras et crache dans le seau.

Bec-de-Lièvre dit :

– Arrêtez, enfin ! Je dois rapporter de l'eau propre et potable.

Le garçon dit :

– Mais c'est de l'eau propre. J'ai seulement craché dedans. Tu ne vas pas prétendre que mon crachat est sale ! Mon crachat est plus propre que tout ce qui est chez vous.

Bec-de-Lièvre vide son seau, elle pleure.

Le garçon ouvre sa braguette et dit :

– Suce ! Si tu me la suces, on te laissera remplir ton seau.

Bec-de-Lièvre s'accroupit. Le garçon recule :

– Tu crois que je vais mettre ma bite dans ta bouche dégueulasse ? Salope !

Il donne un coup de pied dans la poitrine de Bec-de-Lièvre et referme sa braguette.

Nous approchons. Nous relevons Bec-de-Lièvre

nous prenons le seau, nous le rinçons bien et nous le posons sous le goulot de la fontaine.

Un des garçons dit aux deux autres :

– Venez, on va s'amuser ailleurs.

Un autre dit :

– Tu es fou ? C'est maintenant qu'on va commencer à rigoler.

Le premier dit :

– Laisse tomber ! Je les connais. Ils sont dangereux.

– Dangereux ? Ces petits connards ? Je vais me les faire, moi. Vous allez voir !

Il vient vers nous, veut cracher dans le seau, mais l'un de nous lui fait un croche-pied, l'autre le frappe à la tête avec un sac de sable. Le garçon tombe. Il reste à terre, assommé. Les deux autres nous regardent. L'un d'eux fait un pas vers nous. L'autre dit :

– Fais gaffe ! Ces petits salopards sont capables de tout. Une fois, ils m'ont fendu la tempe avec une pierre. Ils ont aussi un rasoir et ils n'hésitent pas à s'en servir. Ils t'égorgeraient sans scrupules. Ils sont complètement fous.

Les garçons s'en vont.

Nous tendons le seau rempli à Bec-de-Lièvre. Elle nous demande :

– Pourquoi ne m'avez-vous pas aidée tout de suite ?

– On voulait voir comment tu te défendais.

– Qu'est-ce que j'aurais pu faire contre trois grands ?

– Leur jeter ton seau à la tête, leur griffer le visage, leur donner des coups de pied dans les couilles, crier, hurler. Ou bien t'enfuir et revenir plus tard.

L'hiver

Il fait de plus en plus froid. Nous fouillons dans nos valises et nous mettons sur nous presque tout ce que nous y trouvons : plusieurs pull-overs, plusieurs pantalons. Mais nous ne pouvons pas mettre une seconde paire de chaussures sur nos souliers de ville usés et troués. Nous n'en avons d'ailleurs pas d'autres. Nous n'avons ni gants ni bonnet non plus. Nos mains et nos pieds sont couverts d'engelures.

Le ciel est gris foncé, les rues de la ville sont vides, la rivière est gelée, la forêt est couverte de neige. Nous ne pouvons plus y aller. Or nous allons bientôt manquer de bois.

Nous disons à Grand-Mère :

– Il nous faudrait deux paires de bottes en caoutchouc.

Elle répond :

– Et quoi encore ? Où voulez-vous que je trouve l'argent ?

– Grand-Mère, il n'y a presque plus de bois.

– Il n'y a qu'à l'économiser.

Nous ne sortons plus. Nous faisons toutes sortes d'exercices, nous taillons des objets dans du bois, des cuillers, des planches à pain et nous étudions tard dans la nuit. Grand-Mère reste presque tout le temps dans son lit. Elle ne vient que rarement à la cuisine. Nous sommes tranquilles.

Nous mangeons mal, il n'y a plus ni légumes ni fruits, les poules ne pondent plus. Grand-Mère monte tous les jours un peu de haricots secs et quelques pommes de terre de la cave qui est pourtant remplie de viandes fumées et de bocaux de confitures.

Le facteur vient parfois. Il fait tinter la sonnette de sa bicyclette jusqu'à ce que Grand-Mère sorte de la maison. Alors le facteur mouille son crayon, écrit quelque chose sur un bout de papier, tend le crayon et le papier à Grand-Mère qui trace une croix au bas du papier. Le facteur lui donne l'argent, un paquet ou une lettre, et il repart vers la ville en sifflotant.

Grand-Mère s'enferme dans sa chambre avec le paquet ou avec l'argent. S'il y a une lettre, elle la jette dans le feu.

Nous demandons :

– Grand-Mère, pourquoi jetez-vous la lettre sans la lire ?

Elle répond :

– Je ne sais pas lire. Je ne suis jamais allée à l'école, je n'ai rien fait d'autre que travailler. Je n'ai pas été gâtée comme vous.

– Nous pourrions vous lire les lettres que vous recevez.

– Personne ne doit lire les lettres que je reçois.

Nous demandons :

– Qui envoie de l'argent ? Qui envoie des paquets ? Qui envoie des lettres ?

Elle ne répond pas.

Le lendemain, pendant qu'elle est à la cave, nous fouillons sa chambre. Sous son lit, nous trouvons un paquet ouvert. Il y a des pull-overs, des écharpes, des bonnets, des gants. Nous ne disons rien à Grand-Mère, car elle comprendrait que nous avons une clé ouvrant sa chambre.

Après le repas du soir, nous attendons. Grand-Mère boit son eau-de-vie puis, titubante, va ouvrir la porte de sa chambre avec la clé accrochée à sa ceinture. Nous la suivons, la poussons dans le dos. Elle tombe sur son lit. Nous faisons semblant de chercher et de trouver le paquet.

Nous disons :

– Ce n'est pas gentil, ça, Grand-Mère. Nous avons froid, nous manquons d'habits chauds, nous ne pouvons plus sortir et vous voulez vendre tout ce que notre Mère a tricoté et envoyé pour nous.

Grand-Mère ne répond pas, elle pleure.

Nous disons encore :

– C'est notre Mère qui envoie de l'argent, c'est notre Mère qui vous écrit des lettres.

Grand-Mère dit :

– Ce n'est pas à moi qu'elle écrit. Elle sait bien que je ne sais pas lire. Elle ne m'avait jamais écrit auparavant. Maintenant que vous êtes là, elle écrit. Mais je n'ai pas besoin de ses lettres ! Je n'ai besoin de rien qui vienne d'elle !

Le facteur

Désormais nous attendons le facteur devant la porte du jardin. C'est un vieillard avec une casquette. Il a une bicyclette avec deux sacoches de cuir accrochées au porte-bagages.

Quand il arrive, nous ne lui laissons pas le temps de sonner : très vite, nous dévissons sa sonnette.

Il dit :

– Où est votre grand-mère ?

Nous disons :

– Ne vous occupez pas d'elle. Donnez-nous ce que vous avez apporté.

Il dit :

– Il n'y a rien.

Il veut repartir, mais nous le bousculons. Il tombe dans la neige. Son vélo tombe sur lui. Il jure.

Nous fouillons ses sacoches, nous trouvons une lettre et un mandat. Nous prenons la lettre, nous disons :

– Donnez l'argent !

Il dit :

– Non. C'est adressé à votre grand-mère.

Nous disons :

– Mais ça nous est destiné, à nous. C'est notre Mère qui nous l'envoie. Si vous ne nous le donnez pas, nous vous empêcherons de vous lever jusqu'à ce que vous soyez mort de froid.

Il dit :

– D'accord, d'accord. Aidez-moi à me relever, j'ai une jambe écrasée sous le vélo.

Nous relevons la bicyclette et nous aidons le facteur à se relever. Il est très maigre, très léger.

Il sort l'argent d'une de ses poches et nous le donne.

Nous demandons :

– Vous voulez une signature ou une croix ?

Il dit :

– Ça va, la croix. Une croix en vaut bien une autre.

Il ajoute :

– Vous avez raison de vous défendre. Tout le monde connaît votre grand-mère. Il n'y a pas plus avare qu'elle. Alors c'est votre maman qui vous envoie tout ça ? Elle est bien gentille. Je l'ai connue toute petite. Elle a bien fait de partir. Elle n'aurait jamais pu se marier ici. Avec tous ces racontars...

Nous demandons :

– Quels racontars ?

– Comme quoi elle aurait empoisonné son mari. Je veux dire, votre grand-mère a empoisonné votre grand-père. C'est une vieille histoire. De là vient qu'on l'appelle la Sorcière.

Nous disons :

– Nous ne voulons pas qu'on dise du mal de Grand-Mère.

Le facteur tourne son vélo :

– Bon, bon, il fallait bien que vous soyez au courant.

Nous disons :

– Nous étions déjà au courant. Désormais c'est à nous que vous remettrez le courrier. Sans cela, nous vous tuerons. Vous avez compris ?

Le facteur dit :

– Vous en seriez capables, graines d'assassins. Vous aurez votre courrier, ça m'est bien égal. La Sorcière, je m'en fous.

Il part en poussant son vélo. Il traîne la jambe pour montrer que nous lui avons fait mal.

Le lendemain, chaudement habillés, nous allons en ville pour acheter des bottes de caoutchouc avec de l'argent que notre Mère nous a envoyé. Sa lettre, nous la portons sous notre chemise, chacun son tour.

Le cordonnier

Le cordonnier habite et travaille dans le sous-sol d'une maison près de la gare. La pièce est vaste. Dans un coin, il y a son lit, dans un autre, sa cuisine. Son atelier est devant la fenêtre qui est au ras du sol. Le cordonnier est assis sur un tabouret bas, entouré de chaussures et d'outils. Il nous regarde par-dessus ses lunettes ; il regarde nos souliers laqués tout craquelés.

Nous disons :

– Bonjour, monsieur. Nous voudrions des bottes en caoutchouc, imperméables, chaudes. En vendez-vous ? Nous avons de l'argent.

Il dit :

– Oui, j'en vends. Mais les doublées, les chaudes, sont très chères.

Nous disons :

– Nous en avons absolument besoin. Nous avons froid aux pieds.

Nous mettons sur la table basse l'argent que nous avons.

Le cordonnier dit :

– C'est juste assez pour une seule paire. Mais une paire peut vous suffire. Vous avez la même pointure. Chacun de vous sortira à son tour.

– Cela n'est pas possible. Nous ne sortons jamais l'un sans l'autre. Nous allons partout ensemble.

– Demandez encore de l'argent à vos parents.

– Nous n'avons pas de parents. Nous habitons chez notre Grand-Mère qu'on appelle la Sorcière. Elle ne nous donnera pas d'argent.

Le cordonnier dit :

– La Sorcière, c'est votre grand-mère ? Pauvres petits ! Et vous êtes venus de chez elle jusqu'ici avec ces souliers-là !

– Oui, nous sommes venus. Nous ne pouvons pas passer l'hiver sans bottes. Nous devons aller chercher du bois dans la forêt ; nous devons déblayer la neige. Nous avons absolument besoin de...

– De deux paires de bottes chaudes et imperméables.

Le cordonnier rit et nous tend deux paires de bottes :

– Essayez-les.

Nous les essayons ; elles nous vont très bien.

Nous disons :

– Nous les gardons. Nous vous paierons la deuxième paire au printemps quand nous vendrons des poissons et des œufs. Ou, si vous préférez, nous vous apporterons du bois.

Le cordonnier nous tend notre argent :

– Tenez. Reprenez-le. Je ne veux pas de votre argent. Achetez plutôt de bonnes chaussettes. Je vous offre ces bottes parce que vous en avez absolument besoin.

Nous disons :

– Nous n'aimons pas accepter de cadeau.

– Et pourquoi donc ?

– Parce que nous n'aimons pas dire merci.

– Vous n'êtes pas obligés de dire quoi que ce soit. Allez-vous-en. Non. Attendez ! Prenez aussi ces pantoufles et ces sandales pour l'été, et ces souliers montants aussi. Ils sont très solides. Prenez tout ce que vous voulez.

– Mais pourquoi voulez-vous nous donner tout ça ?

– Je n'en ai plus besoin. Je vais bientôt partir.

Nous demandons :

– Où allez-vous ?

– Comment savoir ? On va m'emmener et on me tuera.

Nous demandons :

– Qui veut vous tuer, et pourquoi ?

Il dit :

– Ne posez pas de questions. Partez maintenant.

Nous prenons les souliers, les pantoufles, les sandales. Nous avons les bottes aux pieds. Nous nous arrêtons devant la porte, nous disons :

– Nous espérons qu'on ne vous emmènera pas. Ou, si on vous emmène, qu'on ne vous tuera pas. Au revoir, monsieur, et merci, merci beaucoup.

Quand nous rentrons, Grand-Mère demande :

– Où avez-vous volé tout ça, gibier de potence ?

– Nous n'avons rien volé. C'est un cadeau. Tout le monde n'est pas aussi avare que vous, Grand-Mère.

Le vol

Avec nos bottes, nos habits chauds, nous pouvons de nouveau sortir. Nous faisons des glissades sur la rivière gelée, nous allons chercher du bois dans la forêt.

Nous prenons une hache et une scie. On ne peut plus ramasser le bois mort tombé à terre ; la couche de neige est trop épaisse. Nous grimpons sur les arbres, nous scions les branches mortes et nous les débitons à la hache. Pendant ce travail, nous n'avons pas froid. Même, nous transpirons. Ainsi pouvons-nous enlever nos gants et les mettre dans nos poches pour qu'ils ne s'usent pas trop vite.

Un jour, en rentrant avec nos deux fagots, nous faisons un détour pour aller voir Bec-de-Lièvre.

La neige n'est pas déblayée devant la masure et aucune trace de pas n'y mène. La cheminée ne fume pas.

Nous frappons à la porte, personne ne répond. Nous entrons. D'abord, nous ne voyons rien, tellement il fait sombre, mais nos yeux s'habituent vite à l'obscurité.

C'est une pièce qui sert de cuisine et de chambre à coucher. Dans le coin le plus sombre, il y a un lit. Nous nous approchons. Nous appelons. Quelqu'un bouge sous les couvertures et les vieux habits ; la tête de Bec-de-Lièvre en émerge.

Nous demandons :

– Ta mère est là ?

Elle dit :

– Oui.

– Est-elle morte ?

– Je ne sais pas.

Nous posons nos fagots et nous allumons le feu dans le fourneau, car il fait aussi froid dans la chambre que dehors. Ensuite, nous allons chez Grand-Mère et nous prenons à la cave des pommes de terre et des haricots secs. Nous trayons une chèvre et nous retournons chez la voisine. Nous chauffons le lait, nous faisons fondre de la neige dans une casserole et nous y cuisons les haricots. Les pommes de terre, nous les rôtissons au four.

Bec-de-Lièvre se lève et, chancelante, vient s'asseoir près du feu.

La voisine n'est pas morte. Nous lui versons du lait de chèvre dans la bouche. Nous disons à Bec-de-Lièvre :

– Quand tout sera cuit, mange et donne à manger à ta mère. Nous reviendrons.

Avec l'argent que le cordonnier nous a rendu, nous avons acheté quelques paires de chaussettes, mais nous n'avons pas tout dépensé. Nous allons dans une épicerie pour acheter un peu de farine et prendre du sel et du sucre sans les payer. Nous allons aussi chez le boucher ; nous achetons une petite tranche de lard et prenons un gros saucisson sans le payer. Nous retournons chez Bec-de-Lièvre. Elle et sa mère ont déjà tout mangé. La mère est restée au lit, Bec-de-Lièvre fait la vaisselle.

Nous lui disons :

– Nous vous apporterons un fagot de bois tous les jours. Un peu de haricots et de pommes de terre aussi.

Mais, pour le reste, il faut de l'argent. Nous n'en avons plus. Sans argent, on ne peut pas entrer dans un magasin. Il faut acheter quelque chose pour pouvoir voler autre chose.

Elle dit :

– C'est fou ce que vous êtes malins. Vous avez raison. Moi, on ne me laisse même pas entrer dans les magasins. Je n'aurais jamais pensé que vous seriez capables de voler.

Nous disons :

– Pourquoi pas ? Ce sera notre exercice d'habileté. Mais il nous faut un peu d'argent. Absolument.

Elle réfléchit et dit :

– Allez en demander à M. le curé. Il m'en donnait parfois quand j'acceptais de lui montrer ma fente.

– Il te demandait ça ?

– Oui. Et parfois, il mettait son doigt dedans. Et après il me donnait de l'argent pour que je ne dise rien à personne. Dites-lui que Bec-de-Lièvre et sa mère ont besoin d'argent.

Le chantage

Nous allons chez M. le curé. Il habite à côté de l'église dans une grande maison qui s'appelle la cure.

Nous tirons le cordon de la sonnette. Une vieille femme ouvre la porte :

– Qu'est-ce que vous voulez ?

– Nous voulons voir M. le curé.

– Pourquoi ?

– C'est pour quelqu'un qui va mourir.

La vieille nous fait entrer dans une antichambre. Elle frappe à une porte :

– Monsieur le curé, crie-t-elle, c'est pour une extrême-onction.

Une voix répond derrière la porte :

– Je viens. Qu'on m'attende.

Nous attendons quelques minutes. Un homme grand et maigre au visage sévère sort de la chambre. Il a une espèce de cape blanc et doré sur ses habits sombres. Il nous demande :

– Où est-ce ? Qui vous a envoyés ?

– Bec-de-Lièvre et sa mère.

Il dit :

– Je vous demande le nom exact de ces gens.

– Nous ignorons leur nom exact. La mère est aveugle

et sourde. Elles habitent la dernière maison de la ville. Elles sont en train de mourir de faim et de froid.

Le curé dit :

– Bien que je ne connaisse absolument pas ces personnes, je suis prêt à leur donner l'extrême-onction. Allons-y. Conduisez-moi.

Nous disons :

– Elles n'ont pas encore besoin d'extrême-onction. Elles ont besoin d'un peu d'argent. Nous leur avons apporté du bois, quelques pommes de terre et des haricots secs, mais nous ne pouvons pas faire plus. Bec-de-Lièvre nous a envoyés ici. Vous lui donniez parfois un peu d'argent.

Le curé dit :

– C'est possible. Je donne de l'argent à beaucoup de pauvres. Je ne peux pas me souvenir de tous. Tenez !

Il fouille dans ses poches sous sa cape et il nous donne un peu de monnaie. Nous la prenons et disons :

– C'est peu. C'est trop peu. Cela ne suffit même pas à acheter une miche de pain.

Il dit :

– Je regrette. Il y a beaucoup de pauvres. Et les fidèles ne font presque plus d'offrandes. Tout le monde est en difficulté en ce moment. Allez-vous-en, et que Dieu vous bénisse !

Nous disons :

– Nous pouvons nous contenter de cette somme pour aujourd'hui, mais nous serons obligés de revenir demain.

– Comment ? Qu'est-ce que cela veut dire ? Demain ? Je ne vous laisserai pas entrer. Sortez d'ici immédiatement.

– Demain, nous sonnerons jusqu'à ce que vous nous laissiez entrer. Nous frapperons aux fenêtres, nous donnerons des coups de pied dans votre porte et nous raconterons à tout le monde ce que vous faisiez à Bec-de-Lièvre.

– Je n'ai jamais rien fait à Bec-de-Lièvre. Je ne sais même pas qui c'est. Elle vous a raconté des choses qu'elle a inventées. Les racontars d'une gamine débile ne seront pas pris au sérieux. Personne ne vous croira. Tout ce qu'elle raconte est faux !

Nous disons :

– Peu importe que ce soit vrai ou faux. L'essentiel, c'est la calomnie. Les gens aiment le scandale.

Le curé s'assied sur une chaise, s'éponge le visage avec un mouchoir.

– C'est monstrueux. Savez-vous seulement ce que vous êtes en train de faire ?

– Oui, monsieur. Du chantage.

– A votre âge... C'est déplorable.

– Oui, il est déplorable que nous soyons obligés d'en arriver là. Mais Bec-de-Lièvre et sa mère ont absolument besoin d'argent.

Le curé se lève, enlève sa cape et dit :

– C'est une épreuve que Dieu m'envoie. Combien voulez-vous ? Je ne suis pas riche.

– Dix fois la somme que vous nous avez donnée. Une fois par semaine. Nous ne vous demandons pas l'impossible.

Il prend de l'argent dans sa poche, nous le donne :

– Venez chaque samedi. Mais n'imaginez surtout pas que je fais cela pour céder à votre chantage. Je le fais par charité.

Nous disons :

– C'est exactement ce que nous attendions de vous, monsieur le curé.

Accusations

Un après-midi, l'ordonnance entre dans la cuisine. Nous ne l'avons pas vu depuis longtemps. Il dit :

– Vous venir aider décharger Jeep ?

Nous mettons nos bottes, nous le suivons jusqu'à la Jeep arrêtée sur la route devant la porte du jardin. L'ordonnance nous passe des caisses et des cartons que nous portons dans la chambre de l'officier.

Nous demandons :

– M. l'officier viendra ce soir ? Nous ne l'avons encore jamais vu.

L'ordonnance dit :

– Officier pas venir hiver ici. Peut-être pas venir jamais. Lui avoir chagrin d'amour. Peut-être trouver quelqu'un d'autre plus tard. Oublier. C'est pas pour vous histoires comme ça. Vous apporter bois pour chauffer chambre.

Nous apportons du bois, nous faisons du feu dans le petit poêle en métal. L'ordonnance ouvre les caisses et les cartons et pose sur la table des bouteilles de vin, d'eau-de-vie, de bière, ainsi qu'un tas de choses à manger : des saucissons, des conserves de viande et de légumes, du riz, des biscuits, du chocolat, du sucre, du café.

L'ordonnance ouvre une bouteille, commence à boire et dit :

– Moi, chauffer conserves dans gamelle sur réchaud à l'alcool. Ce soir, manger, boire, chanter avec copains. Fêter victoire contre l'ennemi. Nous bientôt gagner guerre avec nouvelle arme miracle.

Nous demandons :

– Alors la guerre sera bientôt finie ?

Il dit :

– Oui. Très vite. Pourquoi vous regarder comme ça nourriture sur la table ? Si vous avoir faim, manger chocolat, biscuits, saucisse.

Nous disons :

– Il y a bien des gens qui meurent de faim.

– Et alors ? Pas penser à ça. Beaucoup de gens mourir de faim ou d'autre chose. Nous pas penser. Nous manger, et pas mourir.

Il rigole. Nous disons :

– Nous connaissons une femme aveugle et sourde qui habite près d'ici avec sa fille. Elles ne survivront pas à cet hiver.

– C'est pas faute à moi.

– Si, c'est votre faute. A vous et à votre pays. Vous nous avez apporté la guerre.

– Avant la guerre, elles faire comment pour manger, l'aveugle et fille ?

– Avant la guerre, elles vivaient de charité. Les gens leur donnaient de vieux habits, de vieux souliers. Ils leur apportaient à manger. Maintenant, personne ne donne plus rien. Les gens sont tous pauvres ou ils ont peur de le devenir. La guerre les a rendus avares et égoïstes.

L'ordonnance crie :

– Moi me foutre de tout ça ! Assez ! Vous taire !

– Oui, vous vous en foutez et vous mangez notre nourriture.

– Pas votre nourriture. Moi prendre ça dans réserve de caserne.

– Tout ce qui se trouve sur cette table provient de notre pays : les boissons, les conserves, les biscuits, le sucre. C'est notre pays qui nourrit votre armée.

L'ordonnance devient rouge. Il s'assied sur le lit, se prend la tête dans les mains :

– Vous croyez moi vouloir guerre et venir dans votre saloperie de pays ? Moi beaucoup mieux chez moi, tranquille, fabriquer chaises et tables. Boire vin de pays, amuser avec filles gentilles de chez nous. Ici, tous méchants, aussi vous, petits enfants. Vous dire tout ma faute. Moi, quoi pouvoir faire ? Si je dire moi pas aller dans guerre, pas venir dans votre pays, moi fusillé. Vous prendre tout, allez, prendre tout sur la table. La fête finie, moi triste, vous trop méchants avec moi.

Nous disons :

– Nous ne voulons pas tout prendre, juste quelques conserves et un peu de chocolat. Mais vous pourriez apporter de temps en temps, au moins pendant l'hiver, du lait en poudre, de la farine, ou n'importe quoi d'autre à manger.

Il dit :

– Bon. Ça, je peux. Vous venir avec moi demain chez l'aveugle. Mais vous gentils avec moi, après. Oui ?

Nous disons :

– Oui.

L'ordonnance rigole. Ses amis arrivent. Nous partons. Nous les entendons chanter toute la nuit.

La servante de la cure

Un matin, vers la fin de l'hiver, nous sommes assis à la cuisine avec Grand-Mère. On frappe à la porte ; une jeune femme entre. Elle dit :

– Bonjour. Je suis venue chercher des pommes de terre pour...

Elle arrête de parler, elle nous regarde :

– Ils sont adorables !

Elle prend un tabouret, elle s'assied :

– Viens ici, toi.

Nous ne bougeons pas.

– Ou bien toi.

Nous ne bougeons pas. Elle rit :

– Mais venez, venez plus près. Je vous fais peur ?

Nous disons :

– Personne ne nous fait peur.

Nous allons vers elle ; elle dit :

– Ciel ! que vous êtes beaux ! Mais comme vous êtes sales !

Grand-Mère demande :

– Qu'est-ce que vous voulez ?

– Des pommes de terre pour M. le curé. Pourquoi êtes-vous si sales ? Vous ne les lavez jamais ?

Grand-Mère dit, fâchée :

– Ça ne vous regarde pas. Pourquoi ce n'est pas la vieille qui est venue ?

La jeune femme rit de nouveau :

– La vieille ? Elle était plus jeune que vous. Seulement, elle est morte hier. C'était ma tante. C'est moi qui la remplace à la cure.

Grand-Mère dit :

– Elle avait cinq ans de plus que moi. Comme ça, elle est morte... Combien vous en voulez, de pommes de terre ?

– Dix kilos, ou plus, si vous en avez. Et aussi des pommes. Et aussi... Qu'est-ce que vous avez encore ? Le curé est maigre comme un clou et il n'y a rien dans son garde-manger.

Grand-Mère dit :

– C'est à l'automne qu'il aurait fallu y penser.

– Cet automne, je n'étais pas encore chez lui. Je n'y suis que depuis hier soir.

Grand-Mère dit :

– Je vous préviens, à cette époque de l'année, tout ce qui se mange est cher.

La jeune femme rit encore :

– Faites votre prix. On n'a pas le choix. Il n'y a presque plus rien dans les magasins.

– Il n'y aura bientôt plus rien, nulle part.

Grand-Mère ricane et sort. Nous restons seuls avec la servante du curé. Elle nous demande :

– Pourquoi vous ne vous lavez jamais ?

– Il n'y a pas de salle de bains, il n'y a pas de savon. Il n'y a aucune possibilité pour se laver.

– Et vos habits ! Quelle horreur ! Vous n'avez pas d'autres vêtements ?

– Nous en avons dans les valises, sous le banc. Mais ils sont sales et déchirés. Grand-Mère ne les lave jamais.

– Parce que la Sorcière est votre grand-mère ? Il y a vraiment des miracles !

Grand-Mère revient avec deux sacs :

– Ce sera dix pièces d'argent ou une pièce d'or. Je n'accepte pas de billets. Ça n'aura bientôt plus de valeur, c'est du papier.

La servante demande :

– Qu'est-ce qu'il y a dans les sacs ?

Grand-Mère répond :

– De la nourriture. C'est à prendre ou à laisser.

– Je prends. Je vous apporterai l'argent demain. Les petits peuvent m'aider à porter les sacs ?

– Ils peuvent s'ils le veulent. Ils ne veulent pas toujours. Et ils n'obéissent à personne.

La servante nous demande :

– Vous voulez bien, n'est-ce pas ? Vous porterez chacun un sac, et moi je porterai vos valises.

Grand-Mère demande :

– Qu'est-ce que c'est que cette histoire de valises ?

– Je vais laver leurs habits sales. Je les rapporterai demain avec l'argent.

Grand-Mère ricane :

– Laver leurs habits ? Mais si ça vous amuse...

Nous partons avec la servante. Nous marchons derrière elle jusqu'à la cure. Nous voyons ses deux tresses blondes danser sur son châle noir, ses tresses épaisses et longues. Elles lui arrivent à la taille. Ses hanches dansent sous la jupe rouge. On peut voir un bout de ses jambes entre la jupe et les bottes. Les bas sont noirs et, sur celui de droite, une maille a filé.

Le bain

Nous arrivons à la cure avec la servante. Elle nous fait entrer par la porte de derrière. Nous déposons les sacs dans le garde-manger et nous allons à la buanderie. Là, des ficelles sont partout tendues pour le linge. Il y a des récipients de toutes sortes, dont une baignoire en zinc de forme bizarre, comme un fauteuil profond.

La servante ouvre nos valises, met nos vêtements à tremper dans de l'eau froide, puis fait du feu pour chauffer l'eau de deux grands chaudrons. Elle dit :

– Je vais laver tout de suite ce dont vous avez immédiatement besoin. Pendant que vous vous baignerez, ça séchera. Je vous rapporterai les autres habits demain ou après-demain. Il faut aussi les raccommoder.

Elle verse de l'eau bouillante dans la baignoire ; elle y ajoute de l'eau froide :

– Alors, qui commence ?

Nous ne bougeons pas. Elle dit :

– C'est toi, ou c'est toi ? Allez, déshabillez-vous !

Nous demandons :

– Vous voulez rester ici pendant que nous nous baignons ?

Elle rit très fort :

– Et comment, je vais rester ici ! Je vais même vous frotter le dos et vous laver les cheveux. Vous n'allez pas vous gêner devant moi, voyons ! Je pourrais presque être votre mère.

Nous ne bougeons toujours pas. Alors, elle commence à se déshabiller :

– Tant pis. C'est moi qui commencerai. Vous voyez, je ne me gêne pas devant vous. Vous n'êtes que de tout petits garçons.

Elle chantonne, mais son visage devient rouge quand elle se rend compte que nous la regardons. Elle a des seins tendus et pointus comme des ballons qu'on n'a pas fini de gonfler. Sa peau est très blanche et elle a beaucoup de poils blonds partout. Pas seulement entre les jambes et sous les bras, mais aussi sur le ventre et sur les cuisses. Elle continue à chanter dans l'eau en se frottant avec un gant de toilette. Quand elle sort du bain, elle enfile vite un peignoir. Elle change l'eau de la baignoire et commence à faire la lessive en nous tournant le dos. Alors, nous nous déshabillons et nous entrons dans le bain ensemble. Il y a largement assez de place pour nous deux.

Au bout d'un certain temps, la servante nous tend deux grands linges blancs :

– J'espère que vous vous êtes bien frottés partout.

Nous sommes assis sur un banc, emballés dans nos linges, attendant que nos habits sèchent. La buanderie est pleine de vapeur et il y fait très chaud. La servante s'approche avec des ciseaux :

– Je vais vous couper les ongles. Et cessez de faire des manières ; je ne vous mangerai pas.

Elle nous coupe les ongles des mains et des pieds. Elle nous coupe aussi les cheveux. Elle nous embrasse sur le visage et dans le cou ; et elle n'arrête pas de parler :

– Oh ! ces jolis petits pieds, tout mignons, tout propres ! Oh ! ces oreilles adorables, ce cou si doux, si doux ! Oh ! comme j'aimerais avoir deux petits garçons si beaux, si jolis, rien qu'à moi ! Je leur ferais des chatouillis partout, partout, partout.

Elle nous caresse et nous embrasse sur tout le corps. Elle nous chatouille avec sa langue dans le cou, sous les bras, entre les fesses. Elle s'agenouille devant le banc et elle suce nos sexes qui grandissent et durcissent dans sa bouche.

Elle est maintenant assise entre nous deux ; elle nous serre contre elle :

– Si j'avais deux petits bébés si beaux, je leur donnerais à boire du bon lait bien sucré, ici, là, là, comme ça.

Elle tire nos têtes vers ses seins qui sont sortis du peignoir et nous en suçons les bouts roses devenus très durs. La servante met les mains sous son peignoir et se frotte entre les jambes :

– Comme c'est dommage que vous ne soyez pas plus grands ! Oh ! comme c'est bon, comme c'est bon de jouer avec vous !

Elle soupire, elle halète, puis brusquement, elle se raidit.

Quand nous partons, elle nous dit :

– Vous reviendrez tous les samedis pour vous baigner. Vous prendrez votre linge sale avec vous. Je veux que vous soyez toujours propres.

Nous disons :

– Nous vous apporterons du bois en échange de votre travail. Et des poissons et des champignons quand il y en aura.

Le curé

Le samedi suivant, nous revenons prendre notre bain. Après, la servante nous dit :

– Venez à la cuisine. Je vais faire du thé et nous mangerons des tartines.

Nous sommes en train de manger des tartines quand le curé entre dans la cuisine.

Nous disons :

– Bonjour, monsieur.

La servante dit :

– Mon Père, voici mes protégés. Les petits-fils de la vieille femme que les gens appellent la Sorcière.

Le curé dit :

– Je les connais. Venez avec moi.

Nous le suivons. Nous traversons une pièce où il n'y a qu'une grande table ronde entourée de chaises et un crucifix sur le mur. Puis nous entrons dans une chambre sombre dont les murs sont couverts de livres jusqu'au plafond. En face de la porte, un prie-Dieu avec un crucifix ; près de la fenêtre, un bureau ; un lit étroit dans un coin, trois chaises rangées contre le mur : voilà tout le mobilier de la chambre.

Le curé dit :

– Vous avez beaucoup changé. Vous êtes propres. Vous avez l'air de deux anges. Asseyez-vous.

Il avance deux chaises face à son bureau ; nous nous asseyons. Lui s'assied derrière son bureau. Il nous tend une enveloppe :

– Voici l'argent.

Tout en prenant l'enveloppe, nous disons :

– Vous pourrez bientôt cesser d'en donner. En été, Bec-de-Lièvre se débrouille seule.

Le curé dit :

– Non. Je continuerai à aider ces deux femmes. J'ai honte de ne pas l'avoir fait plus tôt. Et maintenant, si nous parlions d'autre chose ?

Il nous regarde ; nous nous taisons. Il dit :

– Je ne vous vois jamais à l'église.

– Nous n'y allons pas.

– Priez-vous parfois ?

– Non, nous ne prions pas.

– Pauvres brebis. Je prierai pour vous. Savez-vous lire, au moins ?

– Oui, monsieur. Nous savons lire.

Le curé nous tend un livre :

– Tenez, lisez ceci. Vous y trouverez de belles histoires sur Jésus-Christ et sur la vie des saints.

– Ces histoires, nous les connaissons déjà. Nous avons une Bible. Nous avons lu l'Ancien Testament et le Nouveau.

Le curé lève ses sourcils noirs :

– Comment ? Vous avez lu toute la Sainte Bible ?

– Oui, monsieur. Nous en savons même plusieurs passages par cœur.

– Lesquels, par exemple ?

– Des passages de la Genèse, de l'Exode, de l'Ecclésiaste, de l'Apocalypse, et d'autres.

Le curé se tait un moment, puis il dit :

– Vous connaissez donc les Dix Commandements. Les respectez-vous ?

– Non, monsieur, nous ne les respectons pas. Personne ne les respecte. Il est écrit : « Tu ne tueras point » et tout le monde tue.

Le curé dit :

– Hélas..., c'est la guerre.

Nous disons :

– Nous aimerions lire d'autres livres que la Bible, mais nous n'en avons pas. Vous, vous en avez. Vous pourriez nous en prêter.

– Ce sont des livres trop difficiles pour vous.

– Ils sont plus difficiles que la Bible ?

Le curé nous regarde. Il demande :

– Quel genre de livres aimeriez-vous lire ?

– Des livres d'histoire et des livres de géographie. Des livres qui racontent des choses vraies, pas des choses inventées.

Le curé dit :

– D'ici samedi prochain, je trouverai des livres qui vous conviendront. Laissez-moi seul, à présent. Retournez à la cuisine pour finir vos tartines.

La servante et l'ordonnance

Nous cueillons des cerises dans le jardin avec la servante. L'ordonnance et l'officier étranger arrivent dans la Jeep. L'officier passe tout droit, il entre dans sa chambre. L'ordonnance s'arrête près de nous. Il dit :

– Bonjour les petits amis, bonjour la jolie demoiselle. Cerises déjà mûres ? Moi aimer beaucoup les cerises, moi aimer beaucoup jolie mademoiselle.

L'officier appelle par la fenêtre. L'ordonnance doit entrer dans la maison. La servante nous dit :

– Pourquoi ne m'avez-vous pas dit qu'il y avait des hommes chez vous ?

– Ce sont des étrangers.

– Et alors ? Qu'il est bel homme, l'officier !

Nous demandons :

– L'ordonnance ne vous plaît pas ?

– Il est petit et gros.

– Mais il est gentil et amusant. Et il parle bien notre langue.

Elle dit :

– Je m'en fiche. C'est l'officier qui me plaît.

L'officier vient s'asseoir sur le banc devant sa fenêtre. Le panier de la servante est déjà plein de cerises, elle pourrait retourner à la cure, mais elle reste là. Elle regarde l'officier, elle rit très fort. Elle se suspend à une branche d'arbre, elle se balance, elle saute, elle se couche dans l'herbe et, finalement, elle lance une pâquerette aux pieds de l'officier. L'officier se lève, rentre dans sa chambre. Peu après, il en sort et part avec la Jeep.

L'ordonnance se penche à la fenêtre et crie :

– Qui venir aider pauvre homme à nettoyer chambre très sale ?

Nous disons :

– Nous voulons bien vous aider.

Il dit :

– Besoin une femme pour aider. Besoin jolie mademoiselle.

Nous disons à la servante :

– Venez. On l'aide un peu.

Nous allons tous trois dans la chambre de l'officier. La servante prend le balai et commence à balayer. L'ordonnance s'assied sur le lit. Il dit :

– Moi rêver. Une princesse, je voir dans rêve. Princesse doit me pincer pour réveiller.

La servante rit, elle pince très fort la joue de l'ordonnance.

L'ordonnance crie :

– Moi, réveillé maintenant. Moi aussi vouloir pincer méchante princesse.

Il prend la servante dans ses bras et lui pince les fesses. La servante se débat mais l'ordonnance la serre très fort. Il nous dit :

– Vous, dehors ! Et fermer la porte.

Nous demandons à la servante :

– Vous voulez que nous restions ?

Elle rit :

– Pour quoi faire ? Je me défends très bien toute seule.

Alors nous sortons de la chambre, nous refermons la porte derrière nous. La servante vient à la fenêtre, elle nous sourit, elle tire les volets et ferme la fenêtre. Nous montons dans le galetas et, par les trous, nous regardons ce qui se passe dans la chambre de l'officier.

L'ordonnance et la servante sont couchés sur le lit. La servante est toute nue ; l'ordonnance a seulement sa chemise et ses chaussettes. Il est couché sur la servante et tous les deux bougent d'avant en arrière et de droite à gauche. L'ordonnance grogne comme le cochon de Grand-Mère et la servante pousse des cris, comme si on lui faisait mal, mais elle rit aussi en même temps et elle crie :

– Oui, oui, oui, oh, oh, oh !

Depuis ce jour, la servante revient souvent et elle s'enferme avec l'ordonnance. Nous les regardons parfois, mais pas toujours.

L'ordonnance préfère que la servante se baisse ou qu'elle se mette à quatre pattes, et il la prend par-derrière.

La servante préfère que l'ordonnance soit couché sur le dos. Alors elle s'assied sur le ventre de l'ordonnance et elle bouge de haut en bas, comme si elle montait à cheval.

L'ordonnance offre parfois des bas de soie ou de l'eau de Cologne à la servante.

L'officier étranger

Nous faisons notre exercice d'immobilité dans le jardin. Il fait chaud. Nous sommes couchés sur le dos à l'ombre du noyer. A travers les feuilles, nous voyons le ciel, les nuages. Les feuilles de l'arbres sont immobiles ; les nuages semblent l'être aussi mais, si on les regarde longuement, attentivement, on remarque qu'ils se déforment et s'étirent.

Grand-Mère sort de la maison. En passant à côté de nous, d'un coup de pied, elle envoie du sable et du gravier sur notre visage et sur notre corps. Elle marmonne quelque chose et s'en va dans la vigne pour faire la sieste.

L'officier est assis, torse nu, les yeux fermés, sur le banc devant sa chambre, la tête appuyée contre le mur blanc, en plein soleil. Soudain, il vient vers nous ; il nous parle, mais nous ne répondons pas, nous ne le regardons pas. Il retourne sur son banc.

Plus tard, l'ordonnance nous dit :

– M. l'officier demande vous venir parler avec lui.

Nous ne répondons pas. Il dit encore :

– Vous lever et venir. Officier fâché si vous pas obéir.

Nous ne bougeons pas.

L'officier dit quelque chose et l'ordonnance entre

dans la chambre. On l'entend chanter en faisant le ménage.

Quand le soleil touche le toit de la maison à côté de la cheminée, nous nous levons. Nous allons vers l'officier, nous nous arrêtons devant lui. Il appelle l'ordonnance. Nous demandons :

– Que veut-il ?

L'officier pose des questions ; l'ordonnance traduit :

– M. l'officier demander pourquoi vous pas bouger, pas parler ?

Nous répondons :

– Nous faisions notre exercice d'immobilité.

L'ordonnance traduit encore :

– M. l'officier dire vous faire beaucoup d'exercices. Aussi autres sortes. Il a vu vous taper l'un l'autre avec ceinture.

– C'était notre exercice d'endurcissement.

– M. l'officier demander pourquoi vous faire tout ça ?

– Pour nous habituer à la douleur.

– Il demander vous plaisir avoir mal ?

– Non. Nous voulons seulement vaincre la douleur, la chaleur, le froid, la faim, tout ce qui fait mal.

– M. l'officier admiration pour vous. Il trouver vous extraordinaires.

L'officier ajoute quelques mots. L'ordonnance nous dit :

– Bon, fini. Moi, obligé partir maintenant. Vous aussi, filer, aller à la pêche.

Mais l'officier nous retient par le bras en souriant et fait signe à l'ordonnance de partir. L'ordonnance fait quelques pas, se retourne :

– Vous, partir ! Vite ! Aller promener dans la ville.

L'officier le regarde et l'ordonnance s'éloigne jusqu'à la porte du jardin d'où il nous crie encore :

– Foutre le camp, vous ! Pas rester ! Pas comprendre, imbéciles ?

Il s'en va. L'officier nous sourit, nous fait entrer dans sa chambre. Il s'assied sur une chaise, il nous tire à lui, nous soulève, nous fait asseoir sur ses genoux. Nous mettons nos bras autour de son cou, nous nous serrons contre sa poitrine velue. Il nous berce.

En dessous de nous, entre les jambes de l'officier, nous sentons un mouvement chaud. Nous nous regardons, puis nous regardons l'officier dans les yeux. Il nous repousse doucement, il nous ébouriffe les cheveux, il se met debout. Il nous tend deux cravaches et il se couche sur son lit à plat ventre. Il dit un seul mot que, sans connaître sa langue, nous comprenons.

Nous frappons. Une fois l'un, une fois l'autre.

Le dos de l'officier se strie de raies rouges. Nous frappons de plus en plus fort. L'officier gémit et, sans changer de position, descend son pantalon et son caleçon jusqu'aux chevilles. Nous frappons ses fesses blanches, ses cuisses, ses jambes, son dos, son cou, ses épaules de toutes nos forces, et tout devient rouge.

Le corps, les cheveux, les habits de l'officier, les draps, le tapis, nos mains, nos bras sont rouges. Le sang gicle même dans nos yeux, se mêle à notre transpiration, et nous continuons de frapper jusqu'à ce que l'homme pousse un cri final, inhumain, et que nous tombions, épuisés, au pied de son lit.

La langue étrangère

L'officier nous apporte un dictionnaire dans lequel on peut apprendre sa langue. Nous apprenons les mots ; l'ordonnance corrige notre prononciation. Quelques semaines plus tard, nous parlons couramment cette langue nouvelle. Nous ne cessons de faire des progrès. L'ordonnance n'est plus obligé de traduire. L'officier est très content de nous. Il nous offre un harmonica. Il nous donne aussi une clé de sa chambre pour que nous puissions y entrer quand nous voulons (nous y allions déjà avec notre clé, mais en cachette). Maintenant, nous n'avons plus besoin de nous cacher et nous pouvons y faire tout ce qui nous plaît : manger des biscuits et du chocolat, fumer des cigarettes.

Nous allons souvent dans cette chambre, car tout y est propre, et nous y sommes plus tranquilles qu'à la cuisine. C'est là que nous faisons nos devoirs, le plus souvent.

L'officier possède un gramophone et des disques. Couchés sur le lit, nous écoutons de la musique. Une fois, pour faire plaisir à l'officier, nous mettons l'hymne national de son pays. Mais il se fâche et brise le disque d'un coup de poing.

Parfois, nous nous endormons sur le lit qui est très

large. Un matin, l'ordonnance nous trouve là ; il n'est pas content :

– C'est imprudence ! Vous plus faire bêtise comme ça. Quoi arriver une fois, si l'officier rentrer le soir ?

– Que pourrait-il arriver ? Il y a assez de place pour lui aussi.

L'ordonnance dit :

– Vous, très bêtes. Une fois, vous payer la bêtise. Si l'officier vous faire mal, moi je tuer lui.

– Il ne nous fera pas de mal. Ne vous en faites pas pour nous.

Une nuit, l'officier rentre et nous trouve endormis sur son lit. La lumière de la lampe à pétrole nous réveille. Nous demandons :

– Vous voulez que nous allions à la cuisine ?

L'officier nous caresse la tête et dit :

– Restez. Restez seulement.

Il se déshabille et se couche entre nous deux. Il nous entoure de ses bras, il nous chuchote dans l'oreille :

– Dormez. Je vous aime. Dormez tranquillement.

Nous nous rendormons. Plus tard, vers le matin, nous voulons nous lever, mais l'officier nous retient :

– Ne bougez pas. Dormez encore.

– Nous avons besoin d'uriner. Nous devons sortir.

– Ne sortez pas. Faites-le ici.

Nous demandons :

– Où ?

Il dit :

– Sur moi. Oui. N'ayez pas peur. Pissez ! Sur mon visage.

Nous le faisons, puis nous sortons dans le jardin, car le lit est tout mouillé. Le soleil se lève déjà ; nous commençons nos travaux du matin.

L'ami de l'officier

L'officier rentre parfois avec un ami, un autre officier, plus jeune. Ils passent la soirée ensemble et l'ami reste aussi pour dormir. Nous les avons observés plusieurs fois par le trou pratiqué dans le plafond.

C'est un soir d'été. L'ordonnance prépare quelque chose sur le réchaud à alcool. Il met une nappe sur la table et nous y disposons des fleurs. L'officier et son ami sont assis à table ; ils boivent. Plus tard, ils mangent. L'ordonnance mange près de la porte, assis sur un tabouret. Ensuite, ils boivent encore. Pendant ce temps, nous nous occupons de la musique. Nous changeons les disques, nous remontons le gramophone.

L'ami de l'officier dit :

– Ces gamins m'énervent. Fous-les dehors.

L'officier demande :

– Jaloux ?

L'ami répond :

– De ceux-là ? Grotesque ! Deux petits sauvages.

– Ils sont beaux, ne trouves-tu pas ?

– Peut-être. Je ne les ai pas regardés.

– Tiens, tu ne les as pas regardés. Alors, regarde-les.

L'ami devient rouge :

– Que veux-tu à la fin ? Ils m'énervent avec leur air sournois. Comme s'ils nous écoutaient, nous épiaient.

– Mais ils nous écoutent. Ils parlent parfaitement notre langue. Ils comprennent tout.

L'ami devient pâle, il se lève :

– C'en est trop ! Je m'en vais !

L'officier dit :

– Ne fais pas l'imbécile. Sortez, les enfants.

Nous sortons de la chambre, nous montons dans le galetas. Nous regardons et écoutons.

L'ami de l'officier dit :

– Tu m'as rendu ridicule devant ces gamins stupides.

L'officier dit :

– Ce sont les deux enfants les plus intelligents que j'aie jamais rencontrés.

L'ami dit :

– Tu dis ça pour me blesser, pour me faire mal. Tu fais tout pour me tourmenter, pour m'humilier. Un jour, je te tuerai !

L'officier jette son revolver sur la table :

– Je ne demande que ça ! Prends-le. Tue-moi ! Vas-y !

L'ami prend le revolver et vise l'officier :

– Je le ferai. Tu verras, je le ferai. La prochaine fois que tu me parleras de lui, de l'autre, je te tuerai.

L'officier ferme les yeux, sourit :

– Il était beau... jeune... fort... gracieux... délicat... cultivé... tendre... rêveur... courageux... insolent... Je l'aimais. Il est mort sur le front de l'Est. Il avait dix-neuf ans. Je ne peux pas vivre sans lui.

L'ami jette le revolver sur la table et dit :

– Salaud !

L'officier ouvre les yeux, regarde son ami :

– Quel manque de courage ! Quel manque de caractère !

L'ami dit :

– Tu n'as qu'à le faire toi-même, si tu as tant de courage, si tu as tant de chagrin. Si tu ne peux pas vivre sans lui, suis-le dans la mort. Tu voudrais encore que je t'aide ? Je ne suis pas fou ! Crève ! Crève tout seul !

L'officier prend le revolver et l'appuie contre sa tempe. Nous descendons du galetas. L'ordonnance est assis devant la porte ouverte de la chambre. Nous lui demandons :

– Vous croyez qu'il va se tuer ?

L'ordonnance rit :

– Vous, pas avoir peur. Eux, toujours faire ça quand trop boire. Moi, décharger deux revolvers avant.

Nous entrons dans la chambre, nous disons à l'officier :

– Nous vous tuons si vous le voulez vraiment. Donnez-nous votre revolver.

L'ami dit :

– Petits saligauds !

L'officier dit en souriant :

– Merci. Vous êtes gentils. On jouait seulement. Allez dormir.

Il se lève pour fermer la porte derrière nous, il voit l'ordonnance :

– Vous êtes encore là ?

L'ordonnance dit :

– Je n'ai pas reçu la permission de partir.

– Allez-vous-en ! Je veux avoir la paix ! Compris ?

A travers la porte nous l'entendons encore qui dit à son ami :

– Quelle leçon pour toi, espèce de chiffe molle !

Nous entendons aussi le bruit d'une bagarre, des coups, le fracas de chaises renversées, une chute, des cris, des halètements. Puis c'est le silence.

Notre premier spectacle

La servante chante souvent. Des chansons populaires anciennes et de nouvelles chansons à la mode qui parlent de la guerre. Nous écoutons ces chansons, nous les répétons sur notre harmonica. Nous demandons aussi à l'ordonnance de nous apprendre des chansons de son pays.

Un soir, tard, alors que Grand-Mère est déjà couchée, nous allons en ville. Près du château, dans une vieille rue, nous nous arrêtons devant une maison basse. Du bruit, des voix, de la fumée viennent de la porte qui ouvre sur un escalier. Nous descendons les marches de pierre et débouchons dans une cave aménagée en buvette. Des hommes, debout ou bien assis sur des bancs de bois et des tonneaux, boivent du vin. La plupart sont vieux, mais il y a aussi quelques jeunes ainsi que trois femmes. Personne ne fait attention à nous.

L'un de nous commence à jouer de l'harmonica et l'autre à chanter une chanson connue où il est question d'une femme qui attend son mari parti à la guerre et qui reviendra bientôt, victorieux.

Les gens, peu à peu, se tournent vers nous ; les voix se taisent. Nous chantons, nous jouons de plus en plus fort, nous entendons notre mélodie résonner, se répercuter sur la voûte de la cave, comme si c'était quelqu'un d'autre qui jouait et qui chantait.

Notre chanson finie, nous levons les yeux sur les visages fatigués et creux. Une femme rit et applaudit. Un homme jeune à qui il manque un bras dit d'une voix enrouée :

– Encore. Jouez encore quelque chose !

Nous échangeons nos rôles. Celui qui avait l'harmonica le passe à l'autre et nous commençons une nouvelle chanson.

Un homme très maigre s'approche de nous en titubant, il nous crie au visage :

– Silence, chiens !

Il nous pousse brutalement l'un à droite, l'autre à gauche ; nous perdons l'équilibre ; l'harmonica tombe. L'homme monte l'escalier en se tenant au mur. Nous l'entendons encore crier dans la rue :

– Que tout le monde se taise !

Nous ramassons l'harmonica, nous le nettoyons. Quelqu'un dit :

– Il est sourd.

Quelqu'un d'autre dit :

– Il n'est pas seulement sourd. Il est surtout complètement fou.

Un vieillard nous caresse les cheveux. Des larmes coulent de ses yeux enfoncés, cernés de noir :

– Quel malheur ! Quel monde de malheur ! Pauvres petits ! Pauvre monde !

Une femme dit :

– Sourd ou fou, il est revenu, lui. Toi aussi, tu es revenu.

Elle s'assied sur les genoux de l'homme à qui il manque un bras. L'homme dit :

– Tu as raison, ma belle, je suis revenu. Mais avec

quoi vais-je travailler ? Avec quoi vais-je tenir la planche à scier ? Avec la manche vide de ma veste ?

Un autre homme jeune, assis sur un banc, dit en rigolant :

– Moi aussi, je suis revenu. Seulement je suis paralysé par le bas. Les jambes et tout le reste. Je ne banderai plus jamais. J'aurais préféré y passer tout de suite, tiens, rester là, d'un seul coup.

Une autre femme dit :

– Vous n'êtes jamais contents. Ceux que je vois mourir à l'hôpital, ils disent tous : « Quel que soit mon état, j'aimerais survivre, rentrer chez moi, voir ma femme, ma mère, n'importe comment, vivre encore un peu. »

Un homme dit :

– Toi, boucle-la. Les femmes n'ont rien vu de la guerre.

La femme dit :

– Rien vu ? Connard ! On a tout le travail, tout le souci : les enfants à nourrir, les blessés à soigner. Vous, une fois la guerre finie, vous êtes tous des héros. Mort : héros. Survivant : héros. Mutilé : héros. C'est pour ça que vous avez inventé la guerre, vous, les hommes. C'est votre guerre. Vous l'avez voulue, faites-la donc, héros de mes fesses !

Tous se mettent à parler, à crier. Le vieillard, près de nous, dit :

– Personne n'a voulu cette guerre. Personne, personne.

Nous remontons de la cave ; nous décidons de rentrer.

La lune éclaire les rues et la route poussiéreuse qui mène chez Grand-Mère.

Le développement de nos spectacles

Nous apprenons à jongler avec des fruits : des pommes, des noix, des abricots. D'abord avec deux, c'est facile, puis avec trois, quatre, jusqu'à ce que nous arrivions à cinq.

Nous inventons des tours de prestidigitation avec des cartes et avec des cigarettes.

Nous nous entraînons aussi à l'acrobatie. Nous savons faire la roue, des sauts périlleux, des culbutes en avant et en arrière, et nous sommes capables de marcher sur les mains avec une aisance parfaite.

Nous revêtons de très vieux habits trop grands pour nous que nous avons trouvés dans la malle du galetas : des vestons à carreaux, amples et déchirés, de larges pantalons que nous attachons à la taille avec une ficelle. Nous avons aussi trouvé un chapeau noir rond et dur.

L'un de nous fixe un poivron rouge sur son nez et l'autre une fausse moustache faite avec des cheveux de maïs. Nous nous procurons du rouge à lèvres et nous agrandissons notre bouche jusqu'aux oreilles.

Ainsi déguisés en clowns, nous allons sur la place du marché. C'est là qu'il y a le plus de magasins et le plus de monde.

Nous commençons notre spectacle en faisant beaucoup de bruit avec notre harmonica et avec une courge évidée transformée en tambour. Quand il y a suffisamment de spectateurs autour de nous, nous jonglons avec des tomates ou même avec des œufs. Les tomates sont de véritables tomates, mais les œufs sont évidés et remplis de sable fin. Comme les gens l'ignorent, ils poussent des cris, ils rient, ils applaudissent quand nous faisons semblant d'en attraper un de justesse.

Nous poursuivons notre spectacle avec des tours de prestidigitation et nous le terminons avec de l'acrobatie.

Pendant que l'un de nous continue à faire la roue et des sauts périlleux, l'autre fait le tour des spectateurs en marchant sur les mains, le vieux chapeau entre les dents.

Le soir, nous allons dans les bistrots sans déguisement.

Nous connaissons bientôt tous les bistrots de la ville, les caves où le vigneron vend son propre vin, les buvettes où l'on boit debout, les cafés où vont les gens bien habillés et quelques officiers qui cherchent des filles.

Les gens qui boivent donnent facilement leur argent. Ils se confient facilement aussi. Nous apprenons toutes sortes de secrets sur toutes sortes de gens.

Souvent, on nous offre à boire et, peu à peu, nous nous habituons à l'alcool. Nous fumons aussi les cigarettes qu'on nous donne.

Partout nous avons beaucoup de succès. On nous trouve une belle voix ; on nous applaudit et on nous rappelle plusieurs fois.

Théâtre

Parfois, si les gens sont attentifs, pas trop ivres et pas trop bruyants, nous leur présentons une de nos petites pièces de théâtre, par exemple *l'Histoire du pauvre et du riche*.

L'un de nous fait le pauvre, l'autre le riche.

Le riche est assis à une table, il fume. Entre le pauvre :

– J'ai fini de débiter votre bois, monsieur.

– C'est bon. L'exercice fait beaucoup de bien. Vous avez très bonne mine. Vos joues sont toutes rouges.

– J'ai les mains gelées, monsieur.

– Approchez ! Montrez ! C'est dégoûtant ! Vos mains sont pleines de crevasses et de furoncles.

– Ce sont des engelures, monsieur.

– Vous, les pauvres, vous avez tout le temps des maladies répugnantes. Vous êtes sales, voilà l'ennui avec vous. Tenez, voilà pour votre travail.

Il lance un paquet de cigarettes au pauvre qui en allume une et commence à fumer. Mais il n'y a pas de cendrier là où il se trouve, près de la porte, et il n'ose pas s'approcher de la table. Il secoue donc les cendres de sa cigarette dans la paume de sa main. Le riche, qui aimerait que le pauvre s'en aille, feint de ne pas voir que l'homme a besoin d'un cendrier. Mais le pauvre ne veut pas quitter aussitôt les lieux parce qu'il a faim. Il dit :

– Ça sent bon chez vous, monsieur.

– Ça sent la propreté.

– Ça sent aussi la soupe chaude. Je n'ai encore rien mangé aujourd'hui.

– Vous auriez dû. Quant à moi, je vais aller dîner au restaurant car j'ai donné congé à mon cuisinier.

Le pauvre renifle :

– Pourtant, ça sent la bonne soupe bien chaude ici.

Le riche crie :

– Ça ne peut pas sentir la soupe chez moi ; personne ne prépare de la soupe chez moi ; ça doit venir de chez les voisins, ou bien ça sent la soupe dans votre imagination ! Vous, les pauvres, vous ne pensez qu'à votre estomac ; c'est pour ça que vous n'avez jamais d'argent ; vous dépensez tout ce que vous gagnez en soupe et en saucisson. Vous êtes des porcs, voilà ce que vous êtes, et, maintenant, vous salissez mon parquet avec les cendres de votre cigarette ! Sortez d'ici, et que je ne vous revoie plus !

Le riche ouvre la porte, donne un coup de pied au pauvre qui s'étale sur le trottoir.

Le riche referme la porte, s'assied devant une assiette de soupe, et dit en joignant les mains :

– Merci, Seigneur Jésus, pour tous tes bienfaits.

Les alertes

Quand nous sommes arrivés chez Grand-Mère, il n'y avait que très peu d'alertes dans la Petite Ville. Maintenant il y en a de plus en plus. Les sirènes se mettent à hurler à n'importe quel moment du jour et de la nuit, exactement comme dans la Grande Ville. Les gens courent se mettre à l'abri, se réfugient dans les caves. Pendant ce temps, les rues sont désertes. Parfois les portes des maisons et des magasins restent ouvertes. Nous en profitons pour entrer et prendre tranquillement ce qui nous plaît.

Nous ne nous réfugions jamais dans notre cave. Grand-Mère non plus. Le jour, nous poursuivons nos occupations, la nuit, nous continuons de dormir.

La plupart du temps, les avions ne font que traverser notre ville pour aller bombarder de l'autre côté de la frontière. Il arrive qu'une bombe tombe tout de même sur une maison. Dans ce cas, nous repérons l'endroit d'après la direction de la fumée et nous allons voir ce qui a été détruit. S'il reste quelque chose à prendre, nous le prenons.

Nous avons remarqué que les gens qui se trouvent dans la cave d'une maison bombardée sont toujours morts. Par contre, la cheminée de la maison reste presque toujours debout.

Il arrive aussi qu'un avion fasse une attaque en piqué pour mitrailler des gens dans les champs ou dans la rue.

L'ordonnance nous a appris qu'il fallait faire attention quand l'avion avançait vers nous, mais que, dès qu'il se trouvait au-dessus de notre tête, le danger était passé.

A cause des alertes, il est interdit d'allumer des lampes le soir avant d'avoir obscurci parfaitement les fenêtres. Grand-Mère pense qu'il est plus pratique de ne pas allumer du tout. Des patrouilles font la ronde toute la nuit pour faire respecter le règlement.

Au cours d'un repas, nous parlons d'un avion que nous avons vu tomber en flammes. Nous avons vu aussi le pilote sauter en parachute.

– Nous ne savons pas ce qu'il est devenu, le pilote ennemi.

Grand-Mère dit :

– Ennemi ? Ce sont des amis, des frères à nous. Ils arrivent bientôt.

Un jour, nous nous promenons pendant une alerte. Un homme affolé se précipite sur nous :

– Vous ne devez pas rester dehors pendant les bombardements.

Il nous tire par le bras vers une porte :

– Entrez, entrez là-dedans.

– Nous ne voulons pas.

– C'est un abri. Vous y serez en sécurité.

Il ouvre la porte et nous pousse devant lui. La cave est pleine de monde. Il y règne un silence total. Les femmes serrent leurs enfants contre elles.

Tout à coup, quelque part, des bombes explosent. Les explosions se rapprochent. L'homme qui nous a emmenés à la cave se jette sur le tas de charbon qui se trouve dans un coin et essaie de s'y enfouir.

Quelques femmes ricanent avec mépris. Une femme âgée dit :

– Ses nerfs sont détraqués. Il est en permission à cause de ça.

Brusquement, nous avons de la peine à respirer. Nous ouvrons la porte de la cave ; une grande et grosse femme nous repousse, referme la porte. Elle crie :

– Vous êtes fous ? Vous ne pouvez pas sortir maintenant.

Nous disons :

– Les gens meurent toujours dans les caves. Nous voulons sortir.

La grosse femme s'appuie contre la porte. Elle nous montre son brassard de la Protection civile.

– C'est moi qui commande ici ! Vous resterez là !

Nous enfonçons nos dents dans ses avant-bras charnus ; nous lui donnons des coups de pied dans les tibias. Elle pousse des cris, essaie de nous frapper. Les gens rigolent. Enfin, elle dit, toute rouge de colère et de honte :

– Allez ! Foutez le camp ! Allez crever dehors ! Ce ne sera pas un grand dommage.

Dehors, nous respirons. C'est la première fois que nous avons eu peur.

Les bombes continuent à pleuvoir.

Le troupeau humain

Nous sommes venus chercher notre linge propre à la cure. Nous mangeons des tartines avec la servante dans la cuisine. Nous entendons des cris venant de la rue. Nous posons nos tartines et nous sortons. Les gens se tiennent devant leurs portes ; ils regardent dans la direction de la gare. Des enfants excités courent en criant :

– Ils arrivent ! Ils arrivent !

Au tournant de la rue débouche une Jeep militaire avec des officiers étrangers. La Jeep roule lentement, suivie par des militaires portant leur fusil en bandoulière. Derrière eux, une sorte de troupeau humain. Des enfants comme nous. Des femmes comme notre mère. Des vieillards comme le cordonnier.

Ils sont deux cents ou trois cents qui avancent, encadrés par des soldats. Quelques femmes portent leurs petits enfants sur le dos, sur l'épaule, ou serrés contre leur poitrine. L'une d'entre elles tombe ; des mains se saisissent de l'enfant et de la mère ; on les porte car un soldat a déjà pointé son fusil.

Personne ne parle, personne ne pleure ; les yeux sont fixés sur le sol. On entend seulement le bruit des souliers cloutés des soldats.

Juste devant nous, un bras maigre sort de la foule, une main sale se tend, une voix demande :

– Du pain.

La servante, souriante, fait le geste d'offrir le reste de sa tartine ; elle l'approche de la main tendue puis, avec un grand rire, elle ramène le morceau de pain à sa bouche, mord dedans et dit :

– Moi aussi, j'ai faim !

Un soldat qui a tout vu donne une tape sur les fesses de la servante ; il lui pince la joue et elle lui fait des signes avec son mouchoir jusqu'à ce que nous ne voyions plus qu'un nuage de poussière dans le soleil couchant.

Nous retournons dans la maison. De la cuisine, nous voyons M. le curé agenouillé devant le grand crucifix de sa chambre.

La servante dit :

– Finissez vos tartines.

Nous disons :

– Nous n'avons plus faim.

Nous allons dans la chambre. Le curé se retourne :

– Voulez-vous prier avec moi, mes enfants ?

– Nous ne prions jamais, vous le savez bien. Nous voulons comprendre.

– Vous ne pouvez pas comprendre. Vous êtes trop jeunes.

– Vous, vous n'êtes pas trop jeune. C'est pour cela que nous vous demandons : Qui sont ces gens ? Où les emmène-t-on ? Pourquoi ?

Le curé se lève, vient vers nous. Il dit en fermant les yeux :

– Les Voies du Seigneur sont insondables.

Il ouvre les yeux, pose ses mains sur nos têtes :

– Il est regrettable que vous ayez été obligés d'assister à un tel spectacle. Vous tremblez de tous vos membres.

– Vous aussi, monsieur le curé.

– Oui, je suis vieux, je tremble.

– Et nous, nous avons froid. Nous sommes venus torse nu. Nous allons passer une des chemises que votre servante a lavées.

Nous allons dans la cuisine. La servante nous tend notre paquet de linge propre. Nous y prenons chacun une chemise. La servante dit :

– Vous êtes trop sensibles. Le mieux que vous puissiez faire, c'est d'oublier ce que vous avez vu.

– Nous n'oublions jamais rien.

Elle nous pousse vers la sortie :

– Allez, calmez-vous ! Tout ça n'a rien à voir avec vous. Ça ne vous arrivera jamais, à vous. Ces gens-là ne sont que des bêtes.

Les pommes de Grand-Mère

De la cure, nous allons en courant jusqu'à la maison du cordonnier. Les carreaux de sa fenêtre sont brisés ; la porte est enfoncée. A l'intérieur, tout est saccagé. Sur les murs sont écrits des mots orduriers.

Une vieille femme est assise sur un banc devant la maison voisine. Nous lui demandons :

– Le cordonnier est parti ?

– Il y a longtemps, le pauvre homme.

– Il n'était pas parmi ceux qui ont traversé la ville aujourd'hui ?

– Non, ceux d'aujourd'hui sont venus d'ailleurs. Dans des wagons à bestiaux. Lui, ils l'ont tué ici, dans son atelier, avec ses propres outils. N'ayez pas d'inquiétude. Dieu voit tout. Il reconnaîtra les Siens.

Quand nous arrivons à la maison, nous trouvons Grand-Mère couchée sur le dos, les jambes écartées, devant la porte du jardin, des pommes éparpillées tout autour d'elle.

Grand-Mère ne bouge pas. Son front saigne.

Nous courons à la cuisine, nous mouillons un linge, nous prenons de l'eau-de-vie sur l'étagère. Nous posons le linge mouillé sur le front de Grand-Mère, nous lui versons de l'eau-de-vie dans la bouche. Au bout d'un certain temps, elle ouvre les yeux. Elle dit :

– Encore !

Nous lui versons encore de l'eau-de-vie dans la bouche.

Elle se soulève sur les coudes, se met à crier :

– Ramassez les pommes ! Qu'est-ce que vous attendez pour ramasser les pommes, fils de chienne ?

Nous ramassons les pommes dans la poussière de la route. Nous les posons dans son tablier.

Le linge est tombé du front de Grand-Mère. Le sang lui coule dans les yeux. Elle l'essuie avec un coin de son fichu.

Nous demandons :

– Avez-vous mal, Grand-Mère ?

Elle ricane :

– Ce n'est pas un coup de crosse qui me tuera.

– Qu'est-ce qui s'est passé, Grand-Mère ?

– Rien. J'étais en train de ramasser des pommes. Je suis venue devant la porte pour voir le cortège. Mon tablier m'a échappé ; les pommes sont tombées, elles ont roulé sur la route. En plein dans le cortège. Ce n'est pas une raison pour se faire taper dessus.

– Qui vous a tapé dessus, Grand-Mère ?

– Qui voulez-vous que ce soit ? Vous n'êtes tout de même pas des imbéciles ? Ils ont tapé aussi sur eux. Ils ont tapé dans le tas. Il y en a quand même quelques-uns qui ont pu en manger, de mes pommes !

Nous aidons Grand-Mère à se relever. Nous l'emmenons dans la maison. Elle commence à éplucher les pommes pour en faire de la compote, mais elle tombe, et nous la transportons sur son lit. Nous lui enlevons ses souliers. Son fichu glisse ; un crâne complètement chauve apparaît. Nous lui remettons son fichu. Nous restons longtemps à côté de son lit, nous lui tenons les mains, nous surveillons sa respiration.

Le policier

Nous prenons notre petit déjeuner avec Grand-Mère. Un homme entre dans la cuisine sans frapper. Il montre sa carte de la police.

Aussitôt, Grand-Mère se met à crier :

– Je ne veux pas de la police chez moi ! Je n'ai rien fait !

Le policier dit :

– Non, rien, jamais. Juste quelques petits poisons par-ci, par-là.

Grand-Mère dit :

– Rien n'a été prouvé. Vous ne pouvez rien contre moi.

Le policier dit :

– Calmez-vous, Grand-Mère. On ne va pas déterrer les morts. On a déjà de la peine à les enterrer.

– Alors, qu'est-ce que vous voulez ?

Le policier nous regarde et dit :

– Le fruit ne tombe pas loin de son arbre.

Grand-Mère nous regarde aussi :

– J'espère bien. Qu'avez-vous encore fait, fils de chienne ?

Le policier demande :

– Où étiez-vous hier soir ?

Nous répondons :

– Ici.

– Vous ne traîniez pas dans les bistrots, comme d'habitude ?

– Non. Nous sommes restés ici parce que Grand-Mère a eu un accident.

Grand-Mère dit très vite :

– Je suis tombée en descendant à la cave. Les marches sont moussues, j'ai glissé. Je me suis cogné la tête. Les petits m'ont remontée, ils m'ont soignée. Ils sont restés auprès de moi toute la nuit.

Le policier dit :

– Vous avez une méchante bosse, je vois. Il faut être prudente à votre âge. Bon. Nous allons fouiller la maison. Venez tous les trois. Nous commencerons par la cave.

Grand-Mère ouvre la porte de la cave ; nous y descendons. Le policier déplace tout, les sacs, les bidons, les paniers, le tas de pommes de terre.

Grand-Mère nous demande à voix basse :

– Qu'est-ce qu'il cherche ?

Nous haussons les épaules.

Après la cave, le policier fouille la cuisine. Puis Grand-Mère doit ouvrir sa chambre. Le policier défait son lit. Il n'y a rien dans le lit, ni dans la paillasse, juste un peu de monnaie sous l'oreiller.

Devant la porte de la chambre de l'officier, le policier demande :

– C'est quoi, ici ?

Grand-Mère dit :

– C'est une chambre que je loue à un officier étranger. Je n'en ai pas la clé.

Le policier regarde la porte du galetas :

– Vous n'avez pas une échelle ?

Grand-Mère dit :

– Elle est cassée.

– Comment y montez-vous ?

– Je n'y monte pas. Seuls les petits y montent.

Le policier dit :

– Alors, allons-y, les petits.

Nous grimpons dans le galetas à l'aide de la corde. Le policier ouvre le coffre où nous rangeons les objets nécessaires à nos études : Bible, dictionnaire, papier, crayons et le Grand Cahier où tout est écrit. Mais le policier n'est pas venu pour lire. Il inspecte encore le tas de vieux habits et de couvertures et nous redescendons. Une fois en bas, le policier regarde autour de lui et dit :

– Je ne peux évidemment pas retourner tout le jardin. Bon. Venez avec moi.

Il nous conduit dans la forêt, au bord du grand trou où nous avions trouvé un cadavre. Le cadavre n'est plus là. Le policier demande :

– Vous êtes déjà venus jusqu'ici ?

– Non. Jamais. Nous aurions peur d'aller si loin.

– Vous n'avez jamais vu ce trou, ni un soldat mort ?

– Non, jamais.

– Quand on a trouvé ce soldat mort, il lui manquait son fusil, ses cartouches, ses grenades.

Nous disons :

– Il devait être bien distrait et négligent, ce soldat, pour avoir perdu tous ces objets indispensables à un militaire.

Le policier dit :

– Il ne les a pas perdus. Ils lui ont été volés après sa mort. Vous qui venez souvent dans la forêt, vous n'auriez pas une idée sur la question ?

– Non. Aucune idée.

– Pourtant, quelqu'un a bien dû prendre ce fusil, ces cartouches, ces grenades.

Nous disons :

– Qui oserait toucher à des objets aussi dangereux ?

L'interrogatoire

Nous sommes dans le bureau du policier. Il s'assied à une table, nous restons debout en face de lui. Il prépare du papier, un crayon. Il fume. Il nous pose des questions :

– Depuis quand connaissez-vous la servante de la cure ?

– Depuis le printemps.

– Où l'avez-vous connue ?

– Chez Grand-Mère. Elle est venue chercher des pommes de terre.

– Vous livrez du bois à la cure. Combien êtes-vous payés pour ça ?

– Rien. Nous apportons du bois à la cure pour remercier la servante qui lave notre linge.

– Elle est gentille avec vous ?

– Très gentille. Elle nous fait des tartines, elle nous coupe les ongles et les cheveux, elle nous prépare des bains.

– Comme une mère, en somme. Et M. le curé, il est gentil avec vous ?

– Très gentil. Il nous prête des livres et il nous apprend beaucoup de choses.

– Quand avez-vous apporté du bois pour la dernière fois à la cure ?

– Il y a cinq jours. Le mardi matin.

Le policier se promène dans la pièce. Il ferme les rideaux et allume la lampe du bureau. Il prend deux chaises et nous fait asseoir. Il dirige la lumière de la lampe sur notre visage :

– Vous l'aimiez beaucoup, la servante ?

– Oui, beaucoup.

– Savez-vous ce qui lui est arrivé ?

– Il lui est arrivé quelque chose ?

– Oui. Une chose atroce. Ce matin, comme d'habitude, elle faisait du feu et le fourneau de la cuisine a explosé. Elle a tout pris en plein visage. Elle est à l'hôpital.

Le policier arrête de parler ; nous ne disons rien. Il dit :

– Vous ne dites rien ?

Nous disons :

– Une explosion en plein visage, cela mène forcément à l'hôpital et parfois à la morgue. C'est une chance qu'elle ne soit pas morte.

– Elle est défigurée pour la vie !

Nous nous taisons. Le policier aussi. Il nous regarde. Nous le regardons. Il dit :

– Vous n'avez pas l'air spécialement triste.

– Nous sommes contents qu'elle soit en vie. Après un tel accident !

– Ce n'était pas un accident. Quelqu'un a caché un explosif dans le bois de chauffage. Une cartouche provenant d'un fusil militaire. On a retrouvé la douille.

Nous demandons :

– Pourquoi quelqu'un aurait-il fait ça ?

– Pour la tuer. Elle, ou M. le curé.

Nous disons :

– Les gens sont cruels. Ils aiment tuer. C'est la guerre

qui leur a appris ça. Et il y a des explosifs qui traînent partout.

Le policier se met à crier :

– Cessez de faire les marioles ! C'est vous qui livrez du bois à la cure ! C'est vous qui traînez toute la journée dans la forêt ! C'est vous qui dévalisez les cadavres ! Vous êtes capables de tout ! Vous avez ça dans le sang ! Votre Grand-Mère aussi a un meurtre sur la conscience. Elle a empoisonné son mari. Elle, c'est le poison, vous, ce sont les explosifs ! Avouez, petits salopards ! Avouez ! C'était vous !

Nous disons :

– Nous ne sommes pas les seuls à livrer du bois à la cure.

Il dit :

– C'est vrai. Il y a aussi le vieux. Je l'ai déjà interrogé.

Nous disons :

– N'importe qui peut cacher une cartouche dans un tas de bois.

– Oui, mais n'importe qui ne peut pas avoir des cartouches. Je me fous de votre servante ! Ce que je veux savoir, c'est où sont les cartouches ? Où sont les grenades ? Où est le fusil ? Le vieux a tout avoué. Je l'ai si bien interrogé qu'il a tout avoué. Mais il n'a pas pu me montrer où étaient les cartouches, les grenades, le fusil. Ce n'est pas lui, le coupable. C'est vous ! Vous savez où sont les cartouches, les grenades, le fusil. Vous le savez, et vous allez me le dire !

Nous ne répondons pas. Le policier frappe. Des deux mains. A droite et à gauche. Nous saignons du nez et de la bouche.

– Avouez !

Nous nous taisons. Il devient tout blanc, il frappe et

il frappe encore. Nous tombons de nos chaises. Il nous donne des coups de pied dans les côtes, dans les reins, dans l'estomac.

– Avouez ! Avouez ! C'est vous ! Avouez !

Nous ne pouvons plus ouvrir les yeux. Nous n'entendons plus rien. Notre corps est inondé de sueur, de sang, d'urine, d'excréments. Nous perdons connaissance.

En prison

Nous sommes couchés sur le sol en terre battue d'une cellule. Par une petite fenêtre à barreaux de fer, pénètre un peu de lumière. Mais nous ne savons pas l'heure qu'il est, ni même si c'est le matin ou l'après-midi.

Nous avons mal partout. Le plus léger mouvement nous fait retomber dans une semi-inconscience. Notre vue est voilée, nos oreilles bourdonnent, notre tête résonne. Nous avons terriblement soif. Notre bouche est sèche.

Des heures passent ainsi. Nous ne parlons pas. Plus tard, le policier entre, il nous demande :

– Vous avez besoin de quelque chose ?

Nous disons :

– A boire.

– Parlez. Avouez. Et vous aurez à boire, à manger, tout ce que vous voulez.

Nous ne répondons pas. Il demande :

– Grand-père, vous voulez manger quelque chose ?

Personne ne lui répond. Il sort.

Nous comprenons que nous ne sommes pas seuls dans la cellule. Avec précaution, nous levons un peu la tête et nous voyons un vieillard couché, recroquevillé dans un coin. Doucement, nous rampons vers lui, nous le touchons. Il est raide et froid. Toujours en rampant, nous regagnons notre place près de la porte.

Il fait déjà nuit quand le policier revient avec une lampe de poche. Il éclaire le vieillard, il lui dit :

– Dormez bien. Demain matin vous pourrez rentrer chez vous.

Il nous éclaire aussi en plein visage l'un après l'autre :

– Toujours rien à dire ? Ça m'est égal. J'ai le temps. Vous parlerez ou vous crèverez ici.

Plus tard dans la nuit, la porte s'ouvre de nouveau. Le policier, l'ordonnance et l'officier étranger entrent. L'officier se penche sur nous. Il dit à l'ordonnance :

– Téléphonez à la base pour une ambulance !

L'ordonnance s'en va. L'officier examine le vieillard. Il dit :

– Il l'a battu à mort !

Il se tourne vers le policier :

– Tu vas le payer cher, vermine ! Si tu savais comme tu vas payer tout ça !

Le policier nous demande :

– Qu'est-ce qu'il dit ?

– Il dit que le vieillard est mort et que vous allez le payer cher, vermine !

L'officier nous caresse le front :

– Mes petits, mes petits garçons. Il a osé vous faire du mal, ce porc ignoble !

Le policier dit :

– Qu'est-ce qu'il va me faire ? Dites-lui, j'ai des enfants... Je ne savais pas... C'est votre père, ou quoi ?

Nous disons :

– C'est notre oncle.

– Vous auriez dû me le dire. Je ne pouvais pas savoir. Je vous demande pardon. Qu'est-ce que je peux faire pour...

Nous disons :

– Priez Dieu.

L'ordonnance arrive avec d'autres soldats. On nous pose sur des civières et on nous porte dans l'ambulance. L'officier s'assied à côté de nous. Le policier, encadré par plusieurs soldats, est emmené dans la Jeep conduite par l'ordonnance.

A la base militaire, un médecin nous examine tout de suite dans une grande salle blanche. Il désinfecte nos plaies, il nous fait des piqûres contre les douleurs et contre le tétanos. Il nous fait aussi des radiographies. Nous n'avons rien de cassé, sauf quelques dents, mais il s'agit de dents de lait.

L'ordonnance nous ramène chez Grand-Mère. Il nous couche dans le grand lit de l'officier et s'installe sur une couverture à côté du lit. Le matin, il va chercher Grand-Mère qui nous apporte du lait chaud au lit.

Quand l'ordonnance est parti, Grand-Mère nous demande :

– Vous avez avoué ?

– Non, Grand-Mère. Nous n'avions rien à avouer.

– C'est ce que je pensais. Et le policier, qu'est-ce qu'il est devenu ?

– Nous ne savons pas. Mais il ne reviendra certainement plus jamais.

Grand-Mère ricane :

– Déporté ou fusillé, hein ? Le cochon ! On va fêter ça. Je vais réchauffer le poulet d'hier. Je n'en ai pas mangé, moi non plus.

A midi nous nous levons, nous allons manger à la cuisine.

Pendant le repas, Grand-Mère dit :

– Je me demande pourquoi vous avez voulu la tuer ? Vous aviez vos raisons, je suppose.

Le vieux monsieur

Juste après le repas du soir, un vieux monsieur arrive avec une fille plus grande que nous.

Grand-Mère lui demande :

– Qu'est-ce que vous voulez ?

Le vieux monsieur prononce un nom, et Grand-Mère nous dit :

– Sortez. Allez faire un tour dans le jardin.

Nous sortons. Nous contournons la maison et nous nous asseyons sous la fenêtre de la cuisine. Nous écoutons. Le vieux monsieur dit :

– Ayez pitié.

Grand-Mère répond :

– Comment pouvez-vous me demander une chose pareille ?

Le vieux monsieur dit :

– Vous connaissiez ses parents. Ils me l'ont confiée avant d'être déportés. Ils m'avaient donné votre adresse pour le cas où elle ne serait plus en sécurité chez moi.

Grand-Mère demande :

– Vous savez ce que je risque ?

– Oui, je le sais. Mais il y va de sa vie.

– Il y a un officier étranger dans la maison.

– Justement. Personne ne la cherchera ici. Il suffira

de dire que c'est votre petite-fille, la cousine de ces deux garçons.

– Tout le monde sait que je n'ai pas d'autres petits-enfants que ces deux-là.

– Vous pouvez dire qu'elle est de la famille de votre gendre.

Grand-Mère ricane :

– Je ne l'ai jamais vu, celui-là !

Après un long silence, le vieux monsieur reprend :

– Je ne vous demande que de nourrir la fillette pendant quelques mois. Jusqu'à la fin de la guerre.

– La guerre peut encore durer des années.

– Non, elle ne sera plus très longue.

Grand-Mère se met à pleurnicher :

– Je ne suis qu'une pauvre vieille qui se tue au travail. Comment nourrir autant de bouches ?

Le vieux monsieur dit :

– Voici tout l'argent que possédaient ses parents. Et les bijoux de la famille. Tout est à vous, si vous la sauvez.

Peu après, Grand-Mère nous appelle :

– Voici votre cousine.

Nous disons :

– Oui, Grand-Mère.

Le vieux monsieur dit :

– Vous jouerez ensemble, tous les trois, n'est-ce pas ?

Nous disons :

– Nous ne jouons jamais.

Il demande :

– Que faites-vous donc ?

– Nous travaillons, nous étudions, nous faisons des exercices.

Il dit :

– Je comprends. Vous êtes des hommes sérieux. Vous

n'avez pas le temps de jouer. Vous veillerez sur votre cousine, n'est-ce pas ?

– Oui, monsieur. Nous veillerons sur elle.

– Je vous remercie.

Notre cousine dit :

– Je suis plus grande que vous.

Nous répondons :

– Mais nous sommes deux.

Le vieux monsieur dit :

– Vous avez raison. A deux, on est beaucoup plus fort. Et vous n'oublierez pas de l'appeler « cousine », n'est-ce pas ?

– Non, monsieur. Nous n'oublions jamais rien.

– J'ai confiance en vous.

Notre cousine

Notre cousine a cinq ans de plus que nous. Ses yeux sont noirs. Ses cheveux sont roux à cause d'un produit qui s'appelle henné.

Grand-Mère nous dit que notre cousine est la fille de la sœur de notre Père. Nous disons la même chose à ceux qui posent des questions sur notre cousine.

Nous savons que notre Père n'a pas de sœur. Mais nous savons aussi que, sans ce mensonge, la vie de notre cousine serait en danger. Or, nous avons promis au vieux monsieur de veiller sur elle.

Après le départ du vieux monsieur, Grand-Mère dit :

– Votre cousine dormira avec vous dans la cuisine.

Nous disons :

– Il n'y a plus de place dans la cuisine.

Grand-Mère dit :

– Débrouillez-vous.

Notre cousine dit :

– Je dormirai volontiers sous la table, par terre, si vous me donnez une couverture.

Nous disons :

– Tu peux dormir sur le banc et tu peux garder les couvertures. Nous dormirons dans le galetas. Il ne fait plus tellement froid.

Elle dit :

– Je viens dormir dans le galetas avec vous.

– Nous ne voulons pas de toi. Tu ne dois jamais mettre les pieds dans le galetas.

– Pourquoi ?

Nous disons :

– Tu as un secret. Nous en avons un aussi. Si tu ne respectes pas notre secret, nous ne respecterons pas le tien.

Elle demande :

– Vous seriez capables de me dénoncer ?

– Si tu montes dans le galetas, tu meurs. Est-ce clair ?

Elle nous regarde un moment en silence, puis elle dit :

– Je vois. Vous êtes deux petits salopards complètement cinglés. Je ne monterai jamais dans votre saleté de galetas, c'est promis.

Elle tient sa promesse, elle ne monte jamais dans le galetas. Mais, ailleurs, elle nous dérange tout le temps.

Elle dit :

– Apportez-moi des framboises.

Nous disons :

– Va toi-même en chercher dans le jardin.

Elle dit :

– Arrêtez de lire à voix haute. Vous me cassez les oreilles.

Nous continuons à lire.

Elle demande :

– Qu'est-ce que vous faites là, couchés par terre, sans bouger, depuis des heures ?

Nous continuons notre exercice d'immobilité même lorsqu'elle nous lance des fruits pourris.

Elle dit :

– Arrêtez de vous taire, vous m'énervez à la fin !

Nous continuons notre exercice de silence sans lui répondre.

Elle demande :

– Pourquoi vous ne mangez rien aujourd'hui ?

– C'est notre journée d'exercice de jeûne.

Notre cousine ne travaille pas, n'étudie pas, ne fait pas d'exercices. Souvent, elle regarde le ciel, parfois, elle pleure.

Grand-Mère ne frappe jamais notre cousine. Elle ne l'injurie pas non plus. Elle ne lui demande pas de travailler. Elle ne lui demande rien. Elle ne lui parle jamais.

Les bijoux

Le soir même de l'arrivée de notre cousine, nous allons dormir dans le galetas. Nous prenons deux couvertures dans la chambre de l'officier et nous mettons du foin par terre. Avant de nous coucher, nous regardons par les trous. Chez l'officier il n'y a personne. Chez Grand-Mère il y a de la lumière, ce qui arrive rarement.

Grand-Mère a pris la lampe à pétrole de la cuisine et elle l'a suspendue au-dessus de sa coiffeuse. C'est un vieux meuble avec trois miroirs. Celui du centre est fixe, les deux autres sont mobiles. On peut les bouger pour se voir de profil.

Grand-Mère est assise devant la coiffeuse, elle se regarde dans le miroir. Au sommet de sa tête, sur son fichu noir, elle a posé une chose brillante. A son cou pendent plusieurs colliers, ses bras sont chargés de bracelets, ses doigts de bagues. Elle se contemple en parlant toute seule :

– Riche, riche. C'est facile d'être belle avec tout ça. Facile. La roue tourne. Ils sont à moi, maintenant, les bijoux. A moi. Ce n'est que justice. Ça brille, ça brille.

Plus tard, elle dit :

– Et s'ils reviennent ? S'ils me les réclament ? Une fois le danger passé, ils oublient. La reconnaissance, ils ne savent pas ce que c'est. Ils promettent monts et merveilles, et ensuite... Non, non, ils sont déjà morts. Le vieux monsieur va mourir aussi. Il a dit que je pouvais tout garder... Mais la petite... Elle a tout vu, tout entendu. Elle voudra me les reprendre. C'est sûr. Après la guerre, elle les réclamera. Mais je ne veux pas, je ne peux pas les rendre. Ils sont à moi. Pour toujours.

« Il faut qu'elle meure, elle aussi. Comme ça, pas de preuve. Ni vu ni connu. Oui, elle va mourir, la petite. Il lui arrivera un accident. Juste avant la fin de la guerre. Oui, c'est un accident qu'il faut. Pas le poison. Pas cette fois. Un accident. Noyade dans la rivière. Tenir sa tête sous l'eau. Difficile. La pousser dans l'escalier de la cave. Pas assez haut. Le poison. Il n'y a que le poison. Quelque chose de lent. Bien dosé. Une maladie qui la ronge doucement, pendant des mois. Il n'y a pas de médecin. Beaucoup de gens meurent comme ça, faute de soins, pendant la guerre.

Grand-Mère lève le poing, menace son image dans le miroir :

– Vous ne pourrez rien contre moi ! Rien !

Elle ricane. Elle enlève les bijoux, les met dans un sac de toile et enfouit le sac dans sa paillasse. Elle se couche, nous aussi.

Le lendemain matin, quand notre cousine est sortie de la cuisine, nous disons à Grand-Mère :

– Grand-Mère, nous voulons vous dire quelque chose.

– Qu'est-ce qu'il y a encore ?

– Écoutez bien, Grand-Mère. Nous avons promis au vieux monsieur de veiller sur notre cousine. Alors, il ne lui arrivera rien. Ni accident ni maladie. Rien. Et à nous non plus.

Nous lui montrons une enveloppe fermée :

– Ici, tout est écrit. Nous allons donner cette lettre à

M. le curé. S'il arrive quoi que ce soit à l'un de nous trois, le curé ouvrira la lettre. Avez-vous bien compris, Grand-Mère ?

Grand-Mère nous regarde, les yeux presque fermés. Elle respire très fort. Elle dit très bas :

– Fils de chienne, de putain et du diable ! Maudit soit le jour où vous êtes nés !

L'après-midi, quand Grand-Mère part travailler dans sa vigne, nous fouillons sa paillasse. Il n'y a rien dedans.

Notre cousine et son amoureux

Notre cousine devient sérieuse, elle ne nous dérange plus. Elle se lave tous les jours dans le grand bassin que nous avons acheté avec l'argent gagné dans les bistrots. Elle lave sa robe très souvent et sa culotte aussi. Pendant que ses habits sèchent, elle s'enveloppe dans une serviette ou bien elle s'étend au soleil avec sa culotte qui sèche sur elle. Elle est toute brune. Ses cheveux la couvrent jusqu'aux fesses. Parfois elle se retourne sur le dos et cache sa poitrine avec ses cheveux.

Vers le soir, elle part en ville. Elle reste de plus en plus longtemps en ville. Un soir, nous la suivons sans qu'elle s'en doute.

Près du cimetière, elle rejoint un groupe de garçons et de filles, tous plus grands que nous. Ils sont assis sous les arbres, ils fument. Ils ont aussi des bouteilles de vin. Ils boivent au goulot. L'un d'entre eux fait le guet au bord du sentier. Si quelqu'un s'approche, le guetteur se met à siffler une chanson connue en restant tranquillement assis. Le groupe se disperse et se cache dans les buissons ou derrière les pierres tombales. Quand le danger est passé, le guetteur siffle une autre chanson.

Le groupe parle de la guerre à voix basse et aussi de désertions, de déportations, de résistance, de libération.

D'après eux, les militaires étrangers qui sont dans notre pays et qui prétendent être nos alliés sont en réalité nos ennemis, et ceux qui vont bientôt arriver et gagner la guerre ne sont pas des ennemis, mais, au contraire, nos libérateurs.

Ils disent :

– Mon père est passé de l'autre côté. Il reviendra avec eux.

– Mon père à moi a déserté dès la déclaration de la guerre.

– Mes parents ont rejoint les partisans. J'étais trop jeune pour aller avec eux.

– Les miens ont été emmenés par ces salauds. Déportés.

– Tu ne les reverras plus jamais, tes parents. Et moi non plus. Ils sont tous morts à présent.

– Ce n'est pas sûr. Il y aura des survivants.

– Et les morts, on les vengera.

– On était trop jeunes. Dommage. On n'a rien pu faire.

– Ce sera bientôt fini. « Ils » vont arriver d'un jour à l'autre.

– On les attendra sur la Grande Place avec des fleurs.

Tard dans la nuit, le groupe se disperse. Chacun rentre chez soi.

Notre cousine part avec un garçon. Nous la suivons. Ils pénètrent dans les petites ruelles du château, disparaissent derrière un mur en ruine. Nous ne les voyons pas, mais nous les entendons.

Notre cousine dit :

– Couche-toi sur moi. Oui, comme ça. Embrasse-moi. Embrasse-moi.

Le garçon dit :

– Comme tu es belle ! J'ai envie de toi.

– Moi aussi. Mais j'ai peur. Si je suis enceinte ?

– Je t'épouserai. Je t'aime. On se mariera après la Libération.

– Nous sommes trop jeunes. Il faut attendre.

– Je ne peux pas attendre.

– Arrête ! Tu me fais mal. Il ne faut pas, il ne faut pas, mon chéri.

Le garçon dit :

– Oui, tu as raison. Mais caresse-moi. Donne ta main. Caresse-moi là, oui, comme ça. Tourne-toi. J'ai envie de t'embrasser là, là, pendant que tu me caresses.

Notre cousine dit :

– Non, ne fais pas ça. J'ai honte. Oh ! continue, continue ! Je t'aime, je t'aime tant.

Nous rentrons.

La bénédiction

Nous sommes obligés de retourner à la cure pour rapporter les livres que nous avons empruntés.

C'est de nouveau une vieille femme qui nous ouvre la porte. Elle nous fait entrer, elle dit :

– M. le curé vous attend.

Le curé dit :

– Asseyez-vous.

Nous posons les livres sur son bureau. Nous nous asseyons.

Le curé nous regarde un moment, puis il dit :

– Je vous attendais. Il y a longtemps que vous n'êtes pas venus.

Nous disons :

– Nous voulions finir les livres. Et nous sommes très occupés.

– Et pour votre bain ?

– Nous avons tout ce qu'il faut pour nous laver maintenant. Nous avons acheté un bassin, du savon, des ciseaux, des brosses à dents.

– Avec quoi ? Avec quel argent ?

– Avec l'argent que nous gagnons en faisant de la musique dans les bistrots.

– Les bistrots sont un lieu de perdition. Surtout à votre âge.

Nous ne répondons pas. Il dit :

– Vous n'êtes pas venus non plus pour l'argent de l'aveugle. Maintenant, cela fait une somme considérable. Prenez-le.

Il nous tend l'argent. Nous disons :

– Gardez-le. Vous avez assez donné. Nous avons pris votre argent quand c'était absolument nécessaire. Maintenant, nous gagnons suffisamment d'argent pour en donner à Bec-de-Lièvre. Nous lui avons aussi appris à travailler. Nous l'avons aidée à bêcher la terre de son jardin et à y planter des pommes de terre, des haricots, des courges, des tomates. Nous lui avons donné des poussins, des lapins à élever. Elle s'occupe de son jardin et de ses animaux. Elle ne mendie plus. Elle n'a plus besoin de votre argent.

Le curé dit :

– Alors, prenez cet argent pour vous-mêmes. Ainsi vous ne serez plus obligés de travailler dans les bistrots.

– Nous aimons travailler dans les bistrots.

Il dit :

– J'ai appris que vous aviez été battus, torturés.

Nous demandons :

– Qu'est-elle devenue, votre servante ?

– Elle s'est engagée sur le front pour soigner les blessés. Elle est morte.

Nous nous taisons. Il demande :

– Voulez-vous vous confier à moi ? Je suis tenu par le secret de la confession. Vous n'avez rien à craindre. Confessez-vous.

Nous disons :

– Nous n'avons rien à confesser.

– Vous avez tort. Un tel crime est très lourd à porter. La confession vous soulagerait. Dieu pardonne à tous ceux qui regrettent sincèrement leurs péchés.

Nous disons :

– Nous ne regrettons rien. Nous n'avons rien à regretter.

Après un long silence, il dit :

– J'ai tout vu par la fenêtre. Le morceau de pain... Mais la vengeance appartient à Dieu. Vous n'avez pas le droit de vous substituer à Lui.

Nous nous taisons. Il demande :

– Puis-je vous bénir ?

– Si cela vous fait plaisir.

Il pose ses mains sur notre tête :

– Dieu tout-puissant, bénissez ces enfants. Quel que soit leur crime, pardonnez-leur. Brebis égarées dans un monde abominable, eux-mêmes victimes de notre époque pervertie, ils ne savent pas ce qu'ils font. Je vous implore de sauver leur âme d'enfant, de la purifier dans votre infinie bonté et dans votre miséricorde. Amen.

Ensuite, il nous dit encore :

– Revenez me voir de temps en temps, même si vous n'avez besoin de rien.

La fuite

Du jour au lendemain, des affiches apparaissent sur les murs de la Ville. Sur une affiche, on voit un vieillard couché par terre, le corps transpercé par la baïonnette d'un soldat ennemi. Sur une autre affiche, un soldat ennemi frappe un enfant avec un autre enfant qu'il tient par les pieds. Sur une autre encore, un soldat ennemi tire une femme par le bras et, de l'autre main, déchire son corsage. La femme a la bouche ouverte et des larmes coulent de ses yeux.

Les gens qui regardent les affiches sont terrifiés.

Grand-Mère rigole, elle dit :

– Ce sont des mensonges. Vous ne devez pas avoir peur.

Les gens disent que la Grande Ville est tombée.

Grand-Mère dit :

– S'ils ont traversé le Grand Fleuve, plus rien ne les arrêtera. Ils seront bientôt ici.

Notre cousine dit :

– Alors je pourrai rentrer.

Un jour, les gens disent que l'armée s'est rendue, que c'est l'armistice et que la guerre est finie. Le lendemain, les gens disent qu'il y a un nouveau gouvernement et que la guerre continue.

Beaucoup de soldats étrangers arrivent en train ou en

camion. Des soldats de notre pays aussi. Les blessés sont nombreux. Quand les gens interrogent les soldats de notre pays, ceux-ci répondent qu'ils ne savent rien. Ils traversent la Ville. Ils vont dans l'autre pays par la route qui passe à côté du camp.

Les gens disent :

– Ils fuient. C'est la débâcle.

D'autres disent :

– Ils se replient. Ils se regroupent derrière la frontière. C'est ici qu'ils vont les arrêter. Jamais ils ne laisseront l'ennemi traverser la frontière.

Grand-Mère dit :

– C'est à voir.

Beaucoup de gens passent devant la maison de Grand-Mère. Eux aussi vont dans l'autre pays. Ils disent qu'il faut quitter notre pays pour toujours, parce que l'ennemi arrive et qu'il se vengera. Il réduira notre peuple en esclavage.

Il y a des gens qui fuient à pied, un sac sur le dos, d'autres poussent leurs bicyclettes chargées des objets les plus divers : un duvet, un violon, un porcelet dans une cage, des casseroles. D'autres sont juchés sur des charrettes tirées par des chevaux : ils emportent tout leur mobilier.

La plupart sont de notre ville, mais quelques-uns viennent de plus loin.

Un matin, l'ordonnance et l'officier étranger viennent nous dire adieu.

L'ordonnance dit :

– Tout est foutu. Mais c'est mieux être vaincu que mort.

Il rigole. L'officier met un disque sur le gramophone ; nous l'écoutons en silence, assis sur le grand lit. L'officier nous tient serrés contre lui, il pleure.

– Je ne vous reverrai plus.

Nous lui disons :

– Vous aurez des enfants à vous.

– Je n'en veux pas.

Il dit encore, montrant les disques, le gramophone :

– Gardez ceci en souvenir de moi. Mais pas le dictionnaire. Vous serez obligés d'apprendre une autre langue.

Le charnier

Une nuit, nous entendons des explosions, des fusillades, le tir des mitrailleuses. Nous sortons de la maison pour voir ce qui se passe. Un grand feu s'élève à l'emplacement du camp. Nous croyons que l'ennemi est arrivé mais, le lendemain, la Ville est silencieuse ; on n'entend que le grondement lointain des canons.

Au bout de la route qui conduit à la base, il n'y a plus de sentinelle. Une épaisse fumée à l'odeur écœurante monte vers le ciel. Nous décidons d'aller voir.

Nous entrons dans le camp. Il est vide. Il n'y a personne, nulle part. Certains bâtiments continuent à se consumer. La puanteur est insupportable. Nous nous bouchons le nez et nous avançons tout de même. Une barrière de fils de fer barbelés nous arrête. Nous montons sur un mirador. Nous voyons une grande place sur laquelle se dressent quatre grands bûchers noirs. Nous repérons une ouverture, une brèche dans la barrière. Nous descendons du mirador, nous trouvons l'entrée. C'est une grande porte en fer, ouverte. Au-dessus, il est écrit en langue étrangère : « Camp de transit. » Nous entrons.

Les bûchers noirs que nous avons vus d'en haut, ce sont des cadavres calcinés. Certains ont très bien brûlé, il ne reste que des os. D'autres sont à peine noircis. Il y en a beaucoup. Des grands et des petits. Des adultes et des enfants. Nous pensons qu'on les a tués d'abord, puis entassés et arrosés d'essence pour y mettre le feu.

Nous vomissons. Nous sortons du camp en courant. Nous rentrons. Grand-Mère nous appelle pour manger, mais nous vomissons encore.

Grand-Mère dit :

– Vous avez de nouveau mangé quelque saloperie.

Nous disons :

– Oui, des pommes vertes.

Notre cousine dit :

– Le camp a brûlé. Nous devrions aller voir. Il n'y a sûrement plus personne.

– Nous y sommes déjà allés. Il n'y a rien d'intéressant.

Grand-Mère ricane :

– Les héros n'ont rien oublié ? Ils ont tout emporté avec eux ? Ils n'ont pas laissé quelque chose d'utile ? Vous avez bien regardé ?

– Oui, Grand-Mère. Nous avons bien regardé. Il n'y a rien.

Notre cousine sort de la cuisine. Nous la suivons. Nous lui demandons :

– Où vas-tu ?

– En ville.

– Déjà ? Normalement, tu n'y vas que le soir.

Elle sourit :

– Oui, mais j'attends quelqu'un. Écoutez !

Notre cousine nous sourit encore, puis elle part en courant vers la ville.

Notre Mère

Nous sommes dans le jardin. Une Jeep militaire s'arrête devant la maison. Notre Mère en descend, suivie d'un officier étranger. Ils traversent le jardin presque en courant. Notre Mère tient un bébé dans les bras. Elle nous voit, elle crie :

– Venez ! Venez vite dans la Jeep. Nous partons. Dépêchez-vous. Laissez vos affaires et venez !

Nous demandons :

– Il est à qui, le bébé ?

Elle dit :

– C'est votre petite sœur. Venez ! Il n'y a pas de temps à perdre.

Nous demandons :

– Où allons-nous ?

– Dans l'autre pays. Arrêtez de poser des questions et venez.

Nous disons :

– Nous ne voulons pas y aller. Nous voulons rester ici.

Notre Mère dit :

– Je suis obligée d'y aller. Et vous viendrez avec moi.

– Non. Nous resterons ici

Grand-Mère sort de la maison. Elle dit à notre Mère :

– Qu'est-ce que tu fais là ? Qu'est-ce que tu tiens dans tes bras ?

Notre Mère dit :

– Je suis venue chercher mes fils. Je vous enverrai de l'argent, mère.

Grand-Mère dit :

– Je ne veux pas de ton argent. Et je ne te rendrai pas les garçons.

Notre Mère demande à l'officier de nous emmener de force. Nous grimpons vite dans le galetas par la corde. L'officier essaie de nous saisir, mais nous lui donnons des coups de pied au visage. L'officier jure. Nous remontons la corde.

Grand-Mère ricane :

– Tu vois, ils ne veulent pas aller avec toi.

Notre Mère crie très fort :

– Je vous ordonne de descendre immédiatement !

Grand-Mère dit :

– Ils n'obéissent jamais aux ordres.

Notre Mère se met à pleurer :

– Venez, mes chéris. Je ne peux pas partir sans vous.

Grand-Mère dit :

– Ton bâtard étranger ne te suffit pas ?

Nous disons :

– Nous sommes bien ici, Mère. Partez tranquillement. Nous sommes très bien chez Grand-Mère.

On entend le tir des canons et des mitrailleuses. L'officier prend notre Mère par les épaules et la tire vers la voiture. Mais Mère se dégage :

– Ce sont mes fils, je les veux ! Je les aime !

Grand-Mère dit :

– Moi, j'ai besoin d'eux. Je suis vieille. Toi, tu peux encore en faire d'autres. La preuve !

Mère dit :

– Je vous en supplie, ne les retenez pas.

Grand-Mère dit :

– Je ne les retiens pas. Allons, les garçons, descendez tout de suite et partez avec votre maman.

Nous disons :

– Nous ne voulons pas partir. Nous voulons rester avec vous, Grand-Mère.

L'officier prend notre Mère dans ses bras, mais elle le repousse. L'officier va s'asseoir dans la Jeep et met le moteur en marche. A ce moment précis, une explosion se produit dans le jardin. Tout de suite après, nous voyons notre Mère à terre. L'officier court vers elle. Grand-Mère veut nous écarter. Elle dit :

– Ne regardez pas ! Rentrez dans la maison !

L'officier jure, court à sa Jeep et part en trombe.

Nous regardons notre Mère. Ses boyaux lui sortent du ventre. Elle est rouge partout. Le bébé aussi. La tête de notre Mère pend dans le trou qu'a creusé l'obus. Ses yeux sont ouverts et encore mouillés de larmes.

Grand-Mère dit :

– Allez chercher la bêche !

Nous posons une couverture au fond du trou, nous couchons notre Mère dessus. Le bébé est toujours serré sur sa poitrine. Nous les recouvrons avec une autre couverture, puis nous comblons le trou.

Quand notre cousine rentre de la ville, elle demande :

– Il s'est passé quelque chose ?

Nous disons :

– Oui, un obus a fait un trou dans le jardin.

Le départ de notre cousine

Toute la nuit, nous entendons des tirs, des explosions. A l'aube, c'est brusquement le silence. Nous nous endormons sur le grand lit de l'officier. Son lit est devenu notre lit, et sa chambre notre chambre.

Le matin, nous allons prendre notre petit déjeuner dans la cuisine. Grand-Mère est devant le fourneau. Notre cousine plie ses couvertures.

Elle dit :

– Je n'ai vraiment pas assez dormi.

Nous disons :

– Tu dormiras dans le jardin. Il n'y a plus de bruit et il fait chaud.

Elle demande :

– Vous n'avez pas eu peur, cette nuit ?

Nous haussons les épaules sans répondre.

On frappe à la porte. Un homme en civil entre, suivi de deux soldats. Les soldats ont des mitraillettes et ils portent un uniforme que nous n'avons encore jamais vu.

Grand-Mère dit quelque chose dans la langue qu'elle parle quand elle boit de l'eau-de-vie. Les soldats répondent. Grand-Mère leur saute au cou, elle les embrasse l'un après l'autre puis continue à leur parler.

Le civil dit :

– Vous parlez leur langue, madame ?

Grand-Mère répond :

– C'est ma langue maternelle, monsieur.

Notre cousine demande :

– Ils sont là ? Quand sont-ils arrivés ? On voulait les attendre sur la Grande Place avec des bouquets de fleurs.

Le civil demande :

– Qui ça, « on » ?

– Mes amis et moi.

Le civil sourit :

– Eh bien, c'est trop tard. Ils sont arrivés cette nuit. Et moi, tout de suite après. Je cherche une jeune fille.

Il prononce un nom ; notre cousine dit :

– Oui, c'est moi. Où sont mes parents ?

Le civil dit :

– Je ne sais pas. Je suis seulement chargé de retrouver les enfants qui sont sur ma liste. Nous irons d'abord dans un centre d'accueil de la Grande Ville. Ensuite nous ferons des recherches pour retrouver vos parents.

Notre cousine dit :

– J'ai un ami ici. Est-ce qu'il est sur votre liste, lui aussi ?

Elle dit le nom de son amoureux. Le civil consulte sa liste :

– Oui. Il est déjà au quartier général de l'armée. Vous ferez le voyage ensemble. Préparez vos affaires.

Notre cousine, très joyeuse, emballe ses robes et rassemble ses affaires de toilette dans sa serviette de bain.

Le civil se tourne vers nous :

– Et vous ? Comment vous appelez-vous ?

Grand-Mère dit :

– Ce sont mes petits-fils. Ils resteront chez moi.

Nous disons :

– Oui, nous resterons chez Grand-Mère.

Le civil dit :

– J'aimerais tout de même avoir votre nom.

Nous le lui disons. Il regarde ses papiers :

– Vous n'êtes pas sur ma liste. Vous pouvez les garder, madame.

Grand-Mère dit :

– Et comment ! je peux les garder !

Notre cousine dit :

– Je suis prête. Allons-y.

Le civil dit :

– Vous êtes bien pressée. Vous pourriez au moins remercier madame et dire au revoir à ces petits garçons.

Notre cousine dit :

– Petits garçons ? De petits salopards, oui.

Elle nous serre contre elle, très fort :

– Je ne vous embrasse pas, je sais que vous n'aimez pas ça. Ne faites pas trop les cons, soyez prudents.

Elle nous serre encore plus fort, elle pleure. Le civil la prend par le bras et dit à Grand-Mère :

– Je vous remercie, madame, pour tout ce que vous avez fait pour cette enfant.

Nous sortons tous. Devant la porte du jardin, il y a une Jeep. Les deux soldats s'installent à l'avant, le civil et notre cousine à l'arrière. Grand-Mère crie encore quelque chose. Les soldats rigolent. La Jeep démarre. Notre cousine ne se retourne pas.

L'arrivée des nouveaux étrangers

Après le départ de notre cousine, nous allons en ville pour voir ce qui se passe.

A chaque coin de rue, il y a un tank. Sur la Grande Place, des camions, des Jeeps, des motos, des side-cars et, partout, beaucoup de militaires. Sur la place du Marché qui n'est pas goudronnée, ils montent des tentes et installent des cuisines en plein air.

Quand nous passons à côté d'eux, ils nous sourient, ils nous parlent, mais nous ne comprenons pas ce qu'ils disent.

A part les militaires, il n'y a personne dans les rues. Les portes des maisons sont fermées, les volets tirés, les stores des magasins baissés.

Nous rentrons, nous disons à Grand-Mère :

– Tout est calme en ville.

Elle ricane :

– Ils se reposent pour l'instant, mais cet après-midi, vous verrez !

– Que va-t-il se passer, Grand-Mère ?

– Ils vont perquisitionner. Ils vont entrer partout et fouiller. Et ils prendront tout ce qui leur plaira. J'ai déjà vécu une guerre, je sais comment ça se passe. Nous, on n'a rien à craindre : il n'y a rien à prendre ici et je sais leur parler.

– Mais que cherchent-ils, Grand-Mère ?

– Des espions, des armes, des munitions, des montres, de l'or, des femmes.

L'après-midi, en effet, les militaires commencent à fouiller systématiquement les maisons. Si on ne leur ouvre pas, ils tirent en l'air, puis ils enfoncent la porte.

Beaucoup de maisons sont vides. Les habitants sont partis définitivement ou bien ils se cachent dans la forêt. Ces maisons inhabitées sont fouillées comme les autres, ainsi que tous les magasins et les boutiques.

Après le passage des militaires, ce sont les voleurs qui envahissent les magasins et les maisons abandonnées. Les voleurs sont surtout des enfants et des vieillards, quelques femmes aussi, qui n'ont peur de rien ou qui sont pauvres.

Nous rencontrons Bec-de-Lièvre. Elle a les bras chargés de vêtements et de chaussures. Elle nous dit :

– Dépêchez-vous pendant qu'il y a encore quelque chose à prendre. Moi, c'est la troisième fois que je fais mes courses.

Nous entrons dans la Librairie dont la porte est enfoncée. Là, il n'y a que quelques enfants plus petits que nous. Ils prennent des crayons et des craies de couleur, des gommes, des taille-crayons, des cartables.

Nous choisissons tranquillement ce dont nous avons besoin : une encyclopédie complète en plusieurs volumes, des crayons et du papier.

Dans la rue, un vieil homme et une vieille femme se battent pour un jambon fumé. Ils sont entourés de gens qui rigolent et qui les encouragent. La femme griffe le visage du vieux et, finalement, c'est elle qui emporte le jambon.

Les voleurs se soûlent avec de l'alcool volé, se bagarrent, brisent les fenêtres des maisons et les vitrines des magasins qu'ils ont pillés, cassent la vaisselle, jettent à terre les objets dont ils n'ont pas besoin ou qu'ils ne peuvent pas emporter.

Les militaires boivent eux aussi et retournent dans les maisons mais, cette fois, pour y trouver des femmes.

On entend partout des coups de feu et des cris de femmes qu'on viole.

Sur la Grande Place, un soldat joue de l'accordéon. D'autres soldats dansent et chantent.

L'incendie

Depuis plusieurs jours, nous ne voyons plus la voisine dans son jardin. Nous ne rencontrons plus Bec-de-Lièvre. Nous allons voir.

La porte de la masure est ouverte. Nous entrons. Les fenêtres sont petites. Il fait sombre dans la pièce, pourtant le soleil brille dehors.

Quand nos yeux s'habituent à la pénombre, nous distinguons la voisine, couchée sur la table de cuisine. Ses jambes pendent, ses bras sont posés sur son visage. Elle ne bouge pas.

Bec-de-Lièvre est couchée sur le lit. Elle est nue. Entre ses jambes écartées il y a une flaque séchée de sang et de sperme. Les cils collés pour toujours, les lèvres retroussées sur des dents noires dans un sourire éternel, Bec-de-Lièvre est morte.

La voisine dit :

– Allez-vous-en.

Nous nous approchons d'elle, nous demandons :

– Vous n'êtes pas sourde ?

– Non. Je ne suis pas aveugle non plus. Allez-vous-en.

Nous disons :

– Nous voulons vous aider.

Elle dit .

– Je n'ai pas besoin d'aide. Je n'ai besoin de rien. Allez-vous-en.

Nous demandons :

– Qu'est-ce qui s'est passé ici ?

– Vous le voyez bien. Elle est morte, n'est-ce pas ?

– Oui. C'était les nouveaux étrangers ?

– Oui. C'est elle qui les a appelés. Elle est sortie sur la route, elle leur a fait signe de venir. Ils étaient douze ou quinze. Et pendant qu'ils lui passaient dessus, elle n'arrêtait pas de crier : « Comme je suis contente, comme je suis contente ! Venez tous, venez, encore un, encore un autre ! » Elle est morte heureuse, baisée à mort. Mais moi, je ne suis pas morte ! Je suis restée couchée là, sans manger, sans boire, je ne sais depuis combien de temps. Et la mort ne vient pas. Quand on l'appelle, elle ne vient jamais. Elle s'amuse à nous torturer. Je l'appelle depuis des années et elle m'ignore.

Nous demandons :

– Vous désirez vraiment mourir ?

– Qu'est-ce que je pourrais désirer d'autre ? Si vous voulez faire quelque chose pour moi, mettez donc le feu à la maison. Je ne veux pas qu'on nous trouve comme ça.

Nous disons :

– Mais vous allez atrocement souffrir.

– Ne vous occupez pas de ça. Mettez le feu, c'est tout, si vous en êtes capables.

– Oui, madame, nous en sommes capables. Vous pouvez compter sur nous.

Nous lui tranchons la gorge d'un coup de rasoir, puis nous allons pomper l'essence d'un véhicule de l'armée. Nous arrosons d'essence les deux corps et les murs de la masure. Nous y mettons le feu et nous rentrons.

Le matin, Grand-Mère nous dit :

– La maison de la voisine a brûlé. Elles y sont restées, sa fille et elle. La fille a dû oublier quelque chose sur le feu, folle qu'elle est.

Nous y retournons pour prendre les poules et les lapins, mais d'autres voisins les ont déjà pris pendant la nuit.

La fin de la guerre

Pendant des semaines, nous voyons défiler devant la maison de Grand-Mère l'armée victorieuse des nouveaux étrangers qu'on appelle maintenant l'armée des Libérateurs.

Les tanks, les canons, les chars, les camions traversent la frontière jour et nuit. Le front s'éloigne de plus en plus à l'intérieur du pays voisin.

En sens inverse, arrive un autre défilé : les prisonniers de guerre, les vaincus. Parmi eux, beaucoup d'hommes de notre pays. Ils portent encore leur uniforme, mais ils n'ont plus d'armes, ni de galons. Ils marchent à pied, tête baissée, jusqu'à la gare où on les embarque dans des wagons. Pour où et pour combien de temps, personne ne le sait.

Grand-Mère dit qu'on les emmène très loin, dans un pays froid et inhabité où on les obligera à travailler si dur qu'aucun d'entre eux ne reviendra. Ils mourront tous de froid, de fatigue, de faim et de toutes sortes de maladies.

Un mois après que notre pays a été libéré, c'est partout la fin de la guerre, et les Libérateurs s'installent chez nous, pour toujours, dit-on. Alors nous demandons à Grand-Mère de nous apprendre leur langue. Elle dit :

– Comment voulez-vous que je vous l'apprenne ? Je ne suis pas un professeur.

Nous disons :

– C'est simple, Grand-Mère. Vous n'avez qu'à nous parler dans cette langue toute la journée et nous finirons par la comprendre.

Bientôt nous en savons assez pour servir d'interprètes entre les habitants et les Libérateurs. Nous en profitons pour faire du commerce avec des produits que l'armée possède en abondance : cigarettes, tabac, chocolat, que nous échangeons contre ce que possèdent les civils : du vin, de l'eau-de-vie, des fruits.

L'argent n'a plus de valeur ; tout le monde fait du troc.

Les filles couchent avec les soldats en échange de bas de soie, de bijoux, de parfums, de montres et d'autres objets que les militaires ont pris dans les villes qu'ils ont traversées.

Grand-Mère ne va plus au marché avec sa brouette. Ce sont les dames bien habillées qui viennent chez Grand-Mère pour la supplier d'échanger un poulet ou un saucisson contre une bague ou des boucles d'oreilles.

On distribue des tickets de rationnement. Les gens font la queue devant la boucherie et la boulangerie dès quatre heures du matin. Les autres magasins restent fermés, faute de marchandises.

Tout le monde manque de tout.

Grand-Mère et nous, nous ne manquons de rien.

Plus tard, nous avons de nouveau une armée et un gouvernement à nous, mais ce sont nos Libérateurs qui dirigent notre armée et notre gouvernement. Leur drapeau flotte sur tous les édifices publics. La photo de leur chef est exposée partout. Ils nous apprennent leurs chansons, leurs danses, ils nous montrent leurs films dans nos cinémas. Dans les écoles, la langue de nos Libérateurs est obligatoire, les autres langues étrangères sont interdites.

Contre nos Libérateurs ou contre notre nouveau gouvernement, aucune critique, aucune plaisanterie n'est permise. Sur une simple dénonciation, on jette en prison n'importe qui, sans procès, sans jugement. Des hommes et des femmes disparaissent sans que l'on sache pourquoi, et leurs familles n'auront plus jamais de leurs nouvelles.

La frontière est reconstruite. Elle est maintenant infranchissable.

Notre pays est entouré de fils de fer barbelés ; nous sommes totalement coupés du reste du monde.

L'école recommence

En automne, tous les enfants retournent à l'école, sauf nous.

Nous disons à Grand-Mère :

– Grand-Mère, nous ne voulons plus jamais aller à l'école.

Elle dit :

– J'espère bien. J'ai besoin de vous ici. Et qu'est-ce que vous pourriez encore apprendre à l'école ?

– Rien, Grand-Mère, absolument rien.

Bientôt nous recevons une lettre. Grand-Mère demande :

– Qu'est-ce qui est écrit ?

– Il est écrit que vous êtes responsable de nous et que nous devons nous présenter à l'école.

Grand-Mère dit :

– Brûlez la lettre. Je ne sais pas lire et vous non plus. Personne n'a lu cette lettre.

Nous brûlons la lettre. Bientôt nous en recevons une deuxième. Il y est écrit que si nous n'allons pas à l'école, Grand-Mère sera punie par la loi. Nous brûlons aussi cette lettre. Nous disons à Grand-Mère :

– Grand-Mère, n'oubliez pas que l'un de nous est aveugle et l'autre sourd.

Quelques jours plus tard, un homme se présente chez nous. Il dit :

– Je suis l'inspecteur des écoles primaires. Vous avez chez vous deux enfants en âge de scolarité obligatoire. Vous avez déjà reçu deux avertissements à ce sujet.

Grand-Mère dit :

– Vous voulez parler des lettres ? Je ne sais pas lire. Les enfants non plus.

L'un de nous demande :

– Qui c'est ? Qu'est-ce qu'il dit ?

– Il demande si on sait lire. Comment il est ?

– Il est grand, il a l'air méchant.

Nous crions ensemble :

– Allez-vous-en ! Ne nous faites pas de mal ! Ne nous tuez pas ! Au secours !

Nous nous cachons sous la table. L'inspecteur demande à Grand-Mère :

– Qu'est-ce qu'ils ont ? Qu'est-ce qui leur arrive ?

Grand-Mère dit :

– Oh ! les pauvres, ils ont peur de tout le monde ! Ils ont vécu des choses atroces dans la Grande Ville. De plus, l'un est sourd et l'autre aveugle. Le sourd doit expliquer à l'aveugle ce qu'il voit et l'aveugle doit expliquer au sourd ce qu'il entend. Sinon, ils ne comprennent rien.

Sous la table, nous hurlons :

– Au secours, au secours ! Ça explose ! Ça fait trop de bruit ! C'est plein d'éclairs !

Grand-Mère explique :

– Quand quelqu'un leur fait peur, ils entendent et ils voient des choses qui n'existent pas.

L'inspecteur dit :

– Ils ont des hallucinations. Il faudrait les faire soigner dans un hôpital.

Nous hurlons encore plus fort.

Grand-Mère dit :

– Surtout pas ! C'est dans un hôpital que le malheur est arrivé. Ils ont rendu visite à leur mère qui y travaillait. Quand des bombes sont tombées sur l'hôpital, ils y étaient, ils ont vu les blessés et les morts ; eux-mêmes sont restés dans le coma pendant plusieurs jours.

L'inspecteur dit :

– Pauvres gosses. Où sont leurs parents ?

– Morts ou disparus. Comment savoir ?

– Ils doivent être une charge très lourde pour vous.

– Que faire ? Ils n'ont personne d'autre que moi.

En s'en allant, l'inspecteur donne la main à Grand-Mère :

– Vous êtes une bien brave femme.

Nous recevons une troisième lettre où il est écrit que nous sommes dispensés de fréquenter l'école à cause de notre infirmité et à cause de notre traumatisme psychique.

Grand-Mère vend sa vigne

Un officier vient chez Grand-Mère pour lui demander de vendre sa vigne. L'armée veut construire sur son terrain un bâtiment pour les gardes-frontière.

Grand-Mère demande :

– Et avec quoi voulez-vous me payer ? L'argent ne vaut rien.

L'officier dit :

– En échange de votre terrain, nous installons l'eau courante et l'électricité dans votre maison.

Grand-Mère dit :

– Je n'ai besoin ni de votre électricité ni de votre eau courante. J'ai toujours vécu sans.

L'officier dit :

– Nous pouvons aussi prendre votre vigne sans rien vous offrir en échange. Et c'est ce que nous allons faire si vous n'acceptez pas notre proposition. L'armée a besoin de votre terrain. Votre devoir de patriote est de le lui donner.

Grand-Mère ouvre la bouche, mais nous intervenons :

– Grand-Mère, vous êtes âgée et fatiguée. La vigne vous donne beaucoup de travail et ne rapporte presque rien. Par contre, la valeur de votre maison augmentera beaucoup avec l'eau et l'électricité.

L'officier dit :

– Vos petits-fils sont plus intelligents que vous, Grand-Mère.

Grand-Mère dit :

– Ça, vous pouvez le dire ! Discutez donc avec eux. Qu'ils décident.

L'officier dit :

– Mais j'ai besoin de votre signature.

– Je signerai tout ce que vous voulez. De toute façon, je ne sais pas écrire.

Grand-Mère se met à pleurer, elle se lève, elle nous dit :

– Je vous fais confiance.

Elle s'en va dans sa vigne.

L'officier dit :

– Comme elle aime sa vigne, la pauvre petite vieille. Alors, affaire conclue ?

Nous disons :

– Comme vous avez pu le constater vous-même, ce terrain a une grande valeur sentimentale pour elle et l'armée ne voudra certainement pas dépouiller de son bien durement acquis une pauvre petite vieille qui, en outre, est originaire du pays de nos héroïques Libérateurs.

L'officier dit :

– Ah, oui ? Elle est d'origine...

– Oui. Elle parle parfaitement leur langue. Et nous aussi. Et si vous avez l'intention de commettre un abus...

L'officier dit très vite :

– Mais non, mais non ! Qu'est-ce que vous voulez ?

– En plus de l'eau et de l'électricité, nous voulons une salle de bains.

– Rien que ça ! Et où la voulez-vous, votre salle de bains ?

Nous le conduisons dans notre chambre, nous lui montrons où nous voulons notre salle de bains.

– Ici, donnant sur notre chambre. Sept à huit mètres carrés. Baignoire encastrée, lavabo, douche, chauffe-eau, WC.

Il nous regarde longuement, il dit :

– C'est faisable.

Nous disons :

– Nous voudrions aussi un poste de radio. Nous n'en avons pas et il n'est pas possible d'en acheter.

Il demande :

– Et c'est tout ?

– Oui, c'est tout.

Il éclate de rire :

– Vous aurez votre salle de bains et votre radio. Mais j'aurais mieux fait de discuter avec votre grand-mère.

La maladie de Grand-Mère

Un matin, Grand-Mère ne sort pas de sa chambre. Nous frappons à sa porte, nous l'appelons, elle ne répond pas.

Nous allons derrière la maison, nous brisons un carreau de la fenêtre de sa chambre pour pouvoir y entrer.

Grand-Mère est couchée sur le lit, elle ne bouge pas. Pourtant elle respire et son cœur bat. L'un de nous reste près d'elle, l'autre va chercher un médecin.

Le médecin examine Grand-Mère. Il dit :

– Votre Grand-Mère a eu une attaque d'apoplexie, une hémorragie cérébrale.

– Elle va mourir ?

– On ne peut pas le savoir. Elle est vieille, mais son cœur est solide. Donnez-lui ces médicaments trois fois par jour. Et puis il faudrait quelqu'un pour s'occuper d'elle.

Nous disons :

– Nous nous occuperons d'elle. Qu'est-ce qu'il faut faire ?

– Lui donner à manger, la laver. Elle va probablement rester paralysée définitivement.

Le médecin s'en va. Nous préparons une purée de légumes et nous donnons à manger à Grand-Mère avec une petite cuiller. Vers le soir, ça sent très mauvais dans sa chambre. Nous soulevons ses couvertures : sa paillasse est pleine d'excréments.

Nous allons chercher de la paille chez un paysan, nous achetons une culotte en caoutchouc pour bébé et des langes.

Nous déshabillons Grand-Mère, nous la lavons dans notre baignoire, nous lui faisons un lit propre. Elle est tellement maigre que la culotte de bébé lui va très bien. Nous changeons ses langes plusieurs fois par jour.

Une semaine plus tard, Grand-Mère commence à bouger ses mains. Un matin, elle nous reçoit avec des injures :

– Fils de chienne ! Faites cuire une poule ! Comment voulez-vous que je reprenne des forces avec vos verdures et vos purées ? Je veux aussi du lait de chèvre ! J'espère que vous n'avez rien négligé pendant que j'étais malade !

– Non, Grand-Mère, nous n'avons rien négligé.

– Aidez-moi à me lever, vauriens !

– Grand-Mère, vous devez rester couchée, le médecin l'a dit.

– Le médecin, le médecin ! Quel imbécile ! Paralysée définitivement ! Je vais lui montrer, moi, comment je reste paralysée !

Nous l'aidons à se lever, nous l'accompagnons à la cuisine, nous l'asseyons sur le banc. Quand la poule est cuite, elle mange toute seule. Après le repas, elle dit :

– Qu'est-ce que vous attendez ? Fabriquez-moi une canne bien solide, dépêchez-vous, fainéants, je veux aller voir si tout va bien.

Nous courons dans la forêt, nous trouvons une branche qui convient et, sous ses yeux, nous taillons une canne aux mesures de Grand-Mère. Celle-ci s'en saisit et nous menace :

– Gare à vous, si tout n'est pas en ordre !

Elle va au jardin. Nous la suivons de loin. Elle entre dans les toilettes, nous l'entendons marmonner :

– Une culotte ! Quelle idée ! Ils sont complètement fous !

Quand elle rentre à la maison, nous allons voir aux toilettes. Elle a jeté la culotte et les langes dans le trou.

Le trésor de Grand-Mère

Un soir, Grand-Mère dit :

– Fermez bien toutes les portes et toutes les fenêtres. Je veux vous parler, et je ne veux pas que quelqu'un nous entende.

– Personne ne passe jamais par ici, Grand-Mère.

– Les gardes-frontière se promènent un peu partout, vous le savez bien. Et ils ne se gênent pas pour écouter aux portes. Apportez-moi aussi une feuille de papier et un crayon.

Nous demandons :

– Vous voulez écrire, Grand-Mère ?

Elle crie :

– Obéissez ! Ne posez pas de questions !

Nous fermons les fenêtres et les portes, nous apportons le papier et le crayon. Grand-Mère, assise à l'autre bout de la table, dessine quelque chose sur la feuille. Elle dit en chuchotant :

– Voilà où se trouve mon trésor.

Elle nous tend la feuille. Elle y a dessiné un rectangle, une croix et, sous la croix, un cercle. Grand-Mère demande :

– Vous avez compris ?

– Oui, Grand-Mère, nous avons compris. Mais nous le savions déjà.

– Quoi, qu'est-ce que vous saviez déjà ?

Nous répondons en chuchotant :

– Que votre trésor se trouve sous la croix de la tombe de Grand-Père.

Grand-Mère se tait un moment, puis elle dit :

– J'aurais dû m'en douter. Vous le savez depuis longtemps ?

– Depuis très longtemps, Grand-Mère. Depuis que nous vous avons vue soigner la tombe de Grand-Père.

Grand-Mère respire très fort :

– Ça ne sert à rien de s'énerver. De toute façon, tout est pour vous. A présent, vous êtes assez intelligents pour savoir qu'en faire.

Nous disons :

– Pour le moment, on ne peut pas en faire grand-chose.

Grand-Mère dit :

– Non. Vous avez raison. Il faut attendre. Vous saurez attendre ?

– Oui, Grand-Mère.

Nous nous taisons un moment tous les trois, puis Grand-Mère dit :

– Ce n'est pas tout. Quand j'aurai une nouvelle attaque, sachez que je ne veux pas de votre bain, de votre culotte ni de vos langes.

Elle se lève, elle fouille sur l'étagère parmi ses bocaux. Elle revient avec une petite bouteille bleue :

– Au lieu de vos saloperies de médicaments, vous verserez le contenu de cette bouteille dans ma première tasse de lait.

Nous ne répondons pas. Elle crie :

– Vous avez compris, fils de chienne ?

Nous ne répondons pas. Elle dit :

– Vous avez peut-être peur de l'autopsie, petits

chiards ? Il n'y aura pas d'autopsie. On ne va pas chercher midi à quatorze heures quand une vieille femme meurt à la suite d'une deuxième attaque.

Nous disons :

– Nous n'avons pas peur de l'autopsie, Grand-Mère. Nous pensons seulement que vous pouvez vous remettre une seconde fois.

– Non. Je ne m'en remettrai pas. Je le sais. Alors, il faudra en finir au plus vite.

Nous ne disons rien, Grand-Mère se met à pleurer :

– Vous ne savez pas ce que c'est que d'être paralysé. Tout voir, tout entendre, et ne pas pouvoir bouger. Si vous n'êtes même pas capables de me rendre ce petit service, vous êtes des ingrats, des serpents que j'ai chauffés sur mon sein.

Nous disons :

– Cessez de pleurer, Grand-Mère. Nous le ferons ; si vous le voulez vraiment, nous le ferons.

Notre Père

Quand notre Père arrive, nous sommes tous trois en train de travailler dans la cuisine parce qu'il pleut dehors.

Père s'arrête devant la porte, les bras croisés, les jambes écartées. Il demande :

– Où est ma femme ?

Grand-Mère ricane :

– Tiens ! Elle avait vraiment un mari.

Père dit :

– Oui, je suis le mari de votre fille. Et voici mes fils.

Il nous regarde, il ajoute :

– Vous avez beaucoup grandi. Mais vous n'avez pas changé.

Grand-Mère dit :

– Ma fille, votre femme, m'avait confié les enfants.

Père dit :

– Elle aurait mieux fait de les confier à quelqu'un d'autre. Où est-elle ? On m'a dit qu'elle est partie à l'étranger. Est-ce vrai ?

Grand-Mère dit :

– C'est vieux, tout ça. Où étiez-vous jusqu'à maintenant ?

Père dit :

– J'ai été prisonnier de guerre. Et maintenant je veux retrouver ma femme. N'essayez pas de me cacher quoi que ce soit, espèce de vieille sorcière.

Grand-Mère dit :

– J'aime beaucoup votre façon de me remercier de ce que j'ai fait pour vos enfants.

Père crie :

– Je m'en fous ! Où est ma femme ?

Grand-Mère dit :

– Vous vous en foutez ? De vos enfants et de moi ? Eh bien, je vais vous montrer où elle est, votre femme !

Grand-Mère sort dans le jardin, nous la suivons. Avec sa canne, elle montre le carré de fleurs que nous avons plantées sur la tombe de notre Mère :

– Voilà ! Elle est là, votre femme. Sous la terre.

Père demande :

– Morte ? De quoi ? Quand ?

Grand-Mère dit :

– Morte. D'un obus. Quelques jours avant la fin de la guerre.

Père dit :

– Il est interdit d'enterrer des gens n'importe où.

Grand-Mère dit :

– On l'a enterrée là où elle est morte. Et ce n'est pas n'importe où. C'est mon jardin. C'était aussi son jardin quand elle était petite.

Père regarde les fleurs mouillées, il dit :

– Je veux la voir.

Grand-Mère dit :

– Vous ne devriez pas. Il ne faut pas déranger les morts.

Père dit :

– De toute façon, on doit l'enterrer dans un cimetière. C'est la loi. Apportez-moi une pelle.

Grand-Mère hausse les épaules :

– Apportez-lui une pelle.

Sous la pluie, nous regardons Père détruire notre petit jardin de fleurs, nous le regardons creuser. Il arrive aux couvertures, il les écarte. Un grand squelette est couché là, avec un tout petit squelette collé à sa poitrine.

Père demande :

– C'est quoi ça, cette chose sur elle ?

Nous disons :

– C'est un bébé. Notre petite sœur.

Grand-Mère dit :

– Je vous avais bien dit de laisser les morts tranquilles. Venez vous laver à la cuisine.

Père ne répond pas. Il regarde les squelettes. Son visage est mouillé de transpiration, de larmes et de pluie. Il sort péniblement du trou et s'en va sans se retourner, les mains et les habits pleins de boue.

Nous demandons à Grand-Mère :

– Qu'est-ce qu'on fait ?

Elle dit :

– Il faut refermer le trou. Qu'est-ce qu'on pourrait faire d'autre ?

Nous disons :

– Allez au chaud, Grand-Mère. Nous nous occupons de tout ça.

Elle rentre.

A l'aide d'une couverture, nous transportons les squelettes dans le galetas, nous étalons les os sur de la paille pour les faire sécher. Ensuite nous descendons et nous comblons le trou où il n'y a plus personne.

Plus tard, pendant des mois, nous polissons, nous vernissons le crâne et les os de notre Mère et du bébé, puis nous reconstituons soigneusement les squelettes en attachant chaque os à de minces fils de fer. Quand notre travail est terminé, nous suspendons le squelette de notre Mère à une poutre du galetas et accrochons celui du bébé à son cou.

Notre Père revient

Nous ne reverrons notre Père que plusieurs années plus tard.

Entre-temps, Grand-Mère a eu une nouvelle attaque et nous l'avons aidée à mourir comme elle nous l'avait demandé. Elle est enterrée maintenant dans la même tombe que Grand-Père. Avant qu'on ouvre la tombe, nous avons récupéré le trésor et nous l'avons caché sous le banc devant notre fenêtre où se trouvent encore le fusil, les cartouches, les grenades.

Père arrive un soir, il demande :

– Où est votre Grand-Mère ?

– Elle est morte.

– Vous vivez seuls ? Comment vous débrouillez-vous ?

– Très bien, Père.

Il dit :

– Je suis venu ici en me cachant. Il faut que vous m'aidiez.

Nous disons :

– Vous n'avez pas donné de vos nouvelles depuis des années.

Il nous montre ses mains. Il n'a plus d'ongles. Ils ont été arrachés à la racine :

– Je sors de prison. On m'a torturé.

– Pourquoi ?

– Je ne sais pas. Pour rien. Je suis un individu politiquement suspect. Je ne peux pas exercer ma profession. Je suis constamment surveillé. On fouille mon appartement régulièrement. Il m'est impossible de vivre plus longtemps dans ce pays.

Nous disons :

– Vous voulez traverser la frontière.

Il dit :

– Oui. Vous qui vivez ici, vous devez connaître, savoir...

– Oui, nous connaissons, nous savons. La frontière est infranchissable.

Père baisse la tête, contemple ses mains un moment, puis dit :

– Il doit bien y avoir une faille. Il doit bien y avoir un moyen de passer.

– Au risque de votre vie, oui.

– Je préfère mourir plutôt que de rester ici.

– Il faut que vous vous décidiez en connaissance de cause, Père.

Il dit :

– Je vous écoute.

Nous expliquons :

– La première difficulté, c'est d'arriver jusqu'aux premiers fils barbelés sans rencontrer une patrouille, sans être vu d'un mirador. C'est faisable. Nous connaissons l'heure des patrouilles et l'emplacement des miradors. La barrière a un mètre cinquante de hauteur et un mètre de largeur. Il faut deux planches. L'une pour grimper sur la barrière, l'autre qu'on posera dessus de façon à s'y tenir debout. Si vous perdez l'équilibre, vous tombez entre les fils et vous ne pouvez plus sortir.

Père dit :

– Je ne perdrai pas l'équilibre.

Nous continuons :

– Il faut récupérer les deux planches pour passer de la même manière l'autre barrière qui se trouve sept mètres plus loin.

Père rit :

– C'est un jeu d'enfant.

– Oui, mais l'espace entre les deux barrières est miné.

Père pâlit :

– Alors, c'est impossible.

– Non. C'est une question de chance. Les mines sont disposées en zigzag, en *w*. Si on suit une ligne droite, on risque de ne marcher que sur une seule mine. En faisant de grandes enjambées, on a à peu près une chance sur sept de l'éviter

Père réfléchit un moment puis il dit :

– J'accepte ce risque.

Nous disons :

– Dans ce cas, nous voulons bien vous aider. Nous vous accompagnerons jusqu'à la première barrière.

Père dit :

– C'est d'accord. Je vous remercie. Vous n'auriez pas quelque chose à manger, par hasard ?

Nous lui servons du pain avec du fromage de chèvre. Nous lui offrons aussi du vin provenant de l'ancienne vigne de Grand-Mère. Nous versons dans son verre quelques gouttes de somnifère que Grand-Mère savait si bien préparer avec des plantes.

Nous conduisons notre Père dans notre chambre. nous disons :

– Bonne nuit, Père. Dormez bien. Nous vous réveillerons demain.

Nous allons nous coucher sur le banc d'angle de la cuisine.

La séparation

Le lendemain matin, nous nous levons très tôt. Nous nous assurons que notre Père dort profondément.

Nous préparons quatre planches.

Nous déterrons le trésor de Grand-Mère : des pièces d'or et d'argent, beaucoup de bijoux. Nous mettons la plus grande partie dans un sac de toile. Nous prenons aussi une grenade chacun, au cas où nous serions surpris par une patrouille. En supprimant celle-ci, nous pouvons gagner du temps.

Nous faisons un tour de reconnaissance près de la frontière pour repérer le meilleur endroit : un angle mort entre deux miradors. Là, au pied d'un grand arbre, nous camouflons le sac de toile et deux planches.

Nous rentrons, nous mangeons. Plus tard, nous apportons le petit déjeuner à notre Père. Nous devons le secouer pour qu'il se réveille. Il se frotte les yeux et dit :

– Il y avait longtemps que je n'avais pas aussi bien dormi.

Nous posons le plateau sur ses genoux. Il dit :

– Quel festin ! Du lait, du café, des œufs, du jambon, du beurre, de la confiture ! Ces choses-là sont introuvables dans la Grande Ville. Comment faites-vous ?

– Nous travaillons. Mangez, Père. Nous n'aurons pas le temps de vous offrir un autre repas avant votre départ.

Il demande :

– C'est pour ce soir ?

Nous disons :

– C'est pour tout de suite. Dès que vous serez prêt.

Il dit :

– Vous êtes fous ? Je refuse de passer cette frontière de merde au grand jour ! On nous verrait.

Nous disons :

– Nous aussi, nous avons besoin de voir, Père. Seuls les gens stupides essaient de passer la frontière de nuit. La nuit, la fréquence des patrouilles est multipliée par quatre et la zone est continuellement balayée par les projecteurs. Par contre, la surveillance se relâche vers onze heures du matin. Les gardes-frontière pensent que personne n'est assez fou pour essayer de passer à ce moment-là.

Père dit :

– Vous avez certainement raison. Je me fie à vous.

Nous demandons :

– Vous permettez que nous fouillions vos poches pendant que vous mangez ?

– Mes poches ? Pourquoi ?

– Il ne faut pas qu'on puisse vous identifier. S'il vous arrive quelque chose et si on apprend que vous êtes notre père, nous serions accusés de complicité.

Père dit :

– Vous pensez à tout.

Nous disons :

– Nous sommes obligés de penser à notre sécurité.

Nous fouillons ses habits. Nous prenons ses papiers, sa carte d'identité, son carnet d'adresses, un billet de train, des factures et une photo de notre Mère. Nous brûlons le tout dans le fourneau de la cuisine, sauf la photo.

A onze heures, nous partons. Chacun de nous porte une planche.

Notre Père ne porte rien. Nous lui demandons seulement de nous suivre en faisant le moins de bruit possible.

Nous arrivons près de la frontière. Nous disons à notre Père de se coucher derrière le grand arbre et de ne plus bouger.

Bientôt, à quelques mètres de nous, passe une patrouille de deux hommes. Nous les entendons parler :

– Je me demande ce qu'il y aura à bouffer.

– La même merde que d'habitude.

– Il y a merde et merde. Hier, c'était dégueulasse, mais parfois c'est bon.

– Bon ? Tu ne dirais pas ça si tu avais déjà mangé la soupe de ma mère.

– Je n'ai jamais mangé la soupe de ta mère. De mère, moi, je n'en ai jamais eu. Je n'ai jamais mangé que de la merde. A l'armée, au moins, je mange bien de temps en temps.

La patrouille s'éloigne. Nous disons :

– Allez-y, Père. Nous avons vingt minutes avant l'arrivée de la patrouille suivante.

Père prend les deux planches sous les bras, il avance, il pose une des planches contre la barrière, il grimpe.

Nous nous couchons à plat ventre derrière le grand arbre, nous bouchons nos oreilles avec nos mains, nous ouvrons la bouche.

Il y a une explosion.

Nous courons jusqu'aux barbelés avec les deux autres planches et le sac de toile.

Notre Père est couché près de la seconde barrière.

Oui, il y a un moyen de traverser la frontière : c'est de faire passer quelqu'un devant soi.

Prenant le sac de toile, marchant dans les traces de pas, puis sur le corps inerte de notre Père, l'un de nous s'en va dans l'autre pays.

Celui qui reste retourne dans la maison de Grand-Mère.

COMPOSITION : CHARENTE-PHOTOGRAVURE À L'ISLE-D'ESPAGNAC
IMPRESSION : BUSSIÈRE CAMEDAN IMPRIMERIES À SAINT-AMAND (12-00)
DÉPÔT LÉGAL : MARS 1995. N° 23926-6 (005624/1)

Collection Points

DERNIERS TITRES PARUS

P665. Evaristo Carriego, *par Jorge Luis Borges*
P666. Les Jungles pensives, *par Michel Rio*
P667. Pleine Lune, *par Antonio Muñoz Molina*
P668. La Tyrannie du plaisir, *par Jean-Claude Guillebaud*
P669. Le Concierge, *par Herbert Lieberman*
P670. Bogart et Moi, *par Jean-Paul Nozière*
P671. Une affaire pas très catholique, *par Roger Martin*
P672. Elle et Lui, *par George Sand*
P673. Histoires d'une femme sans histoire, *par Michèle Gazier*
P674. Le Cimetière des fous, *par Dan Franck*
P675. Les Calendes grecques, *par Dan Franck*
P676. Mon idée du plaisir, *par Will Self*
P677. Mémorial de Sainte-Hélène, tome 1
par Emmanuel de Las Cases
P678. Mémorial de Sainte-Hélène, tome 2
par Emmanuel de Las Cases
P679. La Seiche, *par Maryline Desbiolles*
P680. Le Voyage de Théo, *par Catherine Clément*
P681. Sans moi, *par Marie Desplechin*
P682. En cherchant Sam, *par Patrick Raynal*
P683. Balkans-Transit, *par François Maspero*
P684. La Plus Belle Histoire de Dieu
par Jean Bottéro, Marc-Alain Ouaknin et Joseph Moingt
P685. Le Gardien du verger, *par Cormac McCarthy*
P686. Le Prix de la chair, *par Donna Leon*
P687. Tir au but, *par Jean-Noël Blanc*
P688. Demander la lune, *par Dominique Muller*
P689. L'Heure des adieux, *par Jean-Noël Pancrazi*
P690. Soyez heureux, *par Jean-Marie Lustiger*
P691. L'Ordre naturel des choses, *par António Lobo Antunes*
P692. Le Roman du conquérant, *par Nedim Gürsel*
P693. Black Betty, *par Walter Mosley*
P694. La Solitude du coureur de fond, *par Allan Sillitoe*
P695. Cités à la dérive, *par Stratis Tsirkas*
P696. Méroé, *par Olivier Rolin*
P697. Bar des flots noirs, *par Olivier Rolin*
P698. Hôtel Atmosphère, *par Bertrand Visage*
P699. Angelica, *par Bertrand Visage*
P700. La petite fille qui aimait trop les allumettes
par Gaétan Soucy

P701. Je suis le gardien du phare, *par Eric Faye*
P702. La Fin de l'exil, *par Henry Roth*
P703. Small World, *par Martin Suter*
P704. Cinq photos de ma femme, *par Agnès Desarthe*
P705. L'Année du tigre, *par Philippe Sollers*
P706. Les Allumettes de la sacristie, *par Willy Deweert*
P707. Ô mort, vieux capitaine..., *par Joseph Bialot*
P708. Images de chair, *par Noël Simsolo*
P709. L'Œuvre de Dieu, la Part du Diable
scénario par John Irving
P710. La Ratte, *par Günter Grass*
P711. Une rencontre en Westphalie, *par Günter Grass*
P712. Le Roi, le Sage et le Bouffon
par Shafique Keshavjee
P713. Esther et le Diplomate, *par Frédéric Vitoux*
P714. Une sale rumeur, *par Anne Fine*
P715. Souffrance en France, *par Christophe Dejours*
P716. Jeunesse dans une ville normande
par Jacques-Pierre Amette
P717. Un chien de sa chienne, *par Roger Martin*
P718. L'Ombre de la louve, *par Pierre Pelot*
P719. Michael K, sa vie, son temps, *par J.M.Coetzee*
P720. En attendant les barbares, *par J.M.Coetzee*
P721. Voir les jardins de Babylone, *par Geneviève Brisac*
P722. L'Aveuglement, *par José Saramago*
P723. L'Évangile selon Jésus-Christ, *par José Saramago*
P724. Si ce livre pouvait me rapprocher de toi
par Jean-Paul Dubois
P725. Le Capitaine Alatriste, *par Arturo Pérez-Reverte*
P726. La Conférence de Cintegabelle, *par Lydie Salvayre*
P727. La Morsure des ténèbres, *par Brigitte Aubert*
P728. La Splendeur du Portugal, *par António Lobo Antunes*
P729. Tlacuilo, *par Michel Rio*
P730. Poisson d'amour, *par Didier van Cauwelaert*
P731. La Forêt muette, *par Pierre Pelot*
P732. Départements et Territoires d'outre-mort
par Henri Gougaud
P733. Le Couturier de la Mort, *par Brigitte Aubert*
P734. Entre deux eaux, *par Donna Leon*
P735. Sheol, *par Marcello Fois*
P736. L'Abeille d'Ouessant, *par Hervé Hamon*
P737. Besoin de mirages, *par Gilles Lapouge*
P738. La Porte d'or, *par Michel Le Bris*
P739. Le Sillage de la baleine, *par Francisco Coloane*
P740. Les Bûchers de Bocanegra, *par Arturo Pérez-Reverte*

P741. La Femme aux melons, *par Peter Mayle*
P742. La Mort pour la mort, *par Alexandra Marinina*
P743. La Spéculation immobilière, *par Italo Calvino*
P744. Mitterrand, une histoire de Français.
1. Les Risques de l'escalade, *par Jean Lacouture*
P745. Mitterrand, une histoire de Français.
2. Les Vertiges du sommet, *par Jean Lacouture*
P746. L'Auberge des pauvres, *par Tahar Ben Jelloun*
P747. Coup de lame, *par Marc Trillard*
P748. La Servante du seigneur, *par Denis Bretin et Laurent Bonzon*
P749. La Mort, *par Michel Rio*
P750. La Statue de la liberté, *par Michel Rio*
P751. Le Grand Passage, *par Cormac McCarthy*
P752. Glamour Attitude, *par Jay McInerney*
P753. Le Soleil de Breda, *par Arturo Pérez-Reverte*
P754. Le Prix, *par Manuel Vázquez Montalbán*
P755. La Sourde, *par Jonathan Kellerman*
P756. Le Sténopé, *par Joseph Bialot*
P757. Carnivore Express, *par Stéphanie Benson*
P758. Monsieur Pinocchio, *par Jean-Marc Roberts*
P759. Les Enfants du Siècle, *par François-Olivier Rousseau*
P760. Paramour, *par Henri Gougaud*
P761. Les Juges, *par Élie Wiesel*
P762. En attendant le vote des bêtes sauvages
par Ahmadou Kourouma
P763. Une veuve de papier, *par John Irving*
P764. Des putes pour Gloria, *par William T.Vollman*
P765. Ecstasy, *par Irvine Welsh*
P766. Beau Regard, *par Patrick Roegiers*
P767. La Déesse aveugle, *par Anne Holt*
P768. Au cœur de la mort, *par Lawrence Block*
P769. Fatal Tango, *par Jean-Paul Nozière*
P770. Meurtres au seuil de l'an 2000
par Éric Bouhier, Yves Dauteuille, Maurice Detry, Dominique Gacem, Patrice Verry
P771. Le Tour de France n'aura pas lieu, *par Jean-Noël Blanc*
P772. Sharkbait, *par Susan Geason*
P773. Vente à la criée du lot 49, *par Thomas Pynchon*
P774. Grand Seigneur, *par Louis Gardel*
P775. La Dérive des continents, *par Morgan Sportès*
P776. Single & Single, *par John le Carré*
P777. Ou César ou rien, *par Manuel Vázquez Montalbán*
P778. Les Grands Singes, *par Will Self*
P779. La Plus Belle Histoire de l'homme, *par André Langaney, Jean Clottes, Jean Guilaine et Dominique Simonnet*

P780. Le Rose et le Noir, *par Frédéric Martel*
P781. Le Dernier Coyote, *par Michael Connelly*
P782. Prédateurs, *par Noël Simsolo*
P783. La gratuité ne vaut plus rien, *par Denis Guedj*
P784. Le Général Solitude, *par Éric Faye*
P785. Le Théorème du perroquet, *par Denis Guedj*
P786. Le Merle bleu, *par Michèle Gazier*
P787. Anchise, *par Maryline Desbiolles*
P788. Dans la nuit aussi le ciel, *par Tiffany Tavernier*
P789. À Suspicious River, *par Laura Kasischke*
P790. Le Royaume des voix, *par Antonio Muñoz Molina*
P791. Le Petit Navire, *par Antonio Tabucchi*
P792. Le Guerrier solitaire, *par Henning Mankell*
P793. Ils y passeront tous, *par Lawrence Block*
P794. Ceux de la Vierge obscure, *par Pierre Mezinski*
P795. La Refondation du monde
par Jean-Claude Guillebaud
P796. L'Amour de Pierre Neuhart, *par Emmanuel Bove*
P797. Le Pressentiment, *par Emmanuel Bove*
P798. Le Marida, *par Myriam Anissimov*
P799. Toute une histoire, *par Günter Grass*
P800. Jésus contre Jésus
par Gérard Mordillat et Jérôme Prieur
P801. Connaissance de l'enfer, *par António Lobo Antunes*
P802. Quasi objets, *par José Saramago*
P803. La Mante des Grands-Carmes, *par Robert Deleuse*
P804. Neige, *par Maxence Fermine*
P805. L'Acquittement, *par Gaëtan Soucy*
P806. L'Évangile selon Caïn, *par Christian Lehmann*
P807. L'Invention du père, *par Arnaud Cathrine*
P808. Le Premier Jardin, *par Anne Hébert*
P809. L'Isolé Soleil, *par Daniel Maximin*
P810. Le Saule, *par Hubert Selby Jr.*
P811. Le Nom des morts, *par Stewart O'Nan*
P812. V., *par Thomas Pynchon*
P813. Vineland, *par Thomas Pynchon*
P814. Malina, *par Ingeborg Bachmann*
P815. L'Adieu au siècle, *par Michel Del Castillo*
P816. Pour une naissance sans violence, *par Frédérick Leboyer*
P817. André Gide, *par Pierre Lepape*
P818. Comment peut-on être breton ?
par Morvan Lebesque
P819. London Blues, *par Anthony Frewin*
P820. Sempre caro, *par Marcello Fois*
P821. Palazzo maudit, *par Stéphanie Benson*